JN093318

南南西に進路を取れ

新潟市を活かす、場所産業と街づくり

Take a route by south-south・west

平松 勝

まえがき　刊行にあたって

『杉の木と男の子は育たない』

大陸から吹き付ける冷たい風によって杉の木の成長が阻まれる。その様子から、偉人が生まれにくい土地。水の都である新潟市はそう揶揄されてきた。

しかし、かつて越後国と呼ばれた新潟は、信濃川と阿賀野川の両大河と日本海へ流れる水に抗わずに、物資流通事業と北国廻船での交易で繁栄を極めてきた。それは、新潟人の信条である『柳に雪折れなし』の如く、考えや対応が柔軟なさまによって体現されたものだ。

越後国の先人、大倉財閥創始者の大倉喜八郎は、「紛々たる世の毀誉褒貶をいちいち気にしていて何ができる」と言葉を記している。区々たる世評に頓着せず、自らを信じ、自ら好むところに邁往し、思う存分の働きを成すことが男子の本懐だと意味する。

私は、不動産業界に足を踏み入れて半世紀。数えきれない程の方々と出会い、感じたことがある。人にはそれぞれが担う役割が備わっているということだ。どの時代においても、新しい事業の立ち上げや難問に直面したとき、立ち向かう人と避ける人に分かれる。前者は、冒険小説『宝島』に登場する主人公が船長と宝探しすることに似ている。

私自身は、不動産開発と管理を主たる業に行う株式会社平松商事の代表を務める。弊社は創業時から今日まで、大なり小なり地域開発するプロジェクトに関わり、四三期目を迎えた。

現在は、今までの経験を活かし、私流で培ってきた哲学と方程式をもとに地域の関係者と膝をつめている。なぜなら、その場所において最も適した開発手法を探るためだ。

開発手法の構築以外にも、クライアントの要望を先取りしながら提案する不動産構成企画も担っている。そもそも、個人創業時から弊社のコンセプトは、地域に役立ち、小さな困りごとから相談を承る『問題解決と地域創生』を命題としているからだ。

地域創生ではとくに、新潟市の『南南西』を意識し、大規模開発方式での商業店舗、及び区画整理組合による企業誘致を行ってきた。

そこには大きな理由がある。

新潟市の玄関口、新潟駅（JR東日本）からみて南南西に位置する、この地区を中心に働く場所を創生したい。長年、そう考えて創業に至ったからだ。

新潟市の街並みといえば、北北東へかもめが翼を広げ飛翔するような形で、砂丘地となる新潟市西部に偏った住宅地開発となってきた。それは、一九六四年（昭和三九年）に起きた新潟地震を機に、やむを得なかったといえよう。

だが、そのような街づくりでは東京都から新潟市まで新幹線で約二時間。加えて、新潟駅から自宅まで車で約二時間かかってしまう。快適な住まいと生活関連産業を重視する都市計画ならば、市民に不便を強いるものである。

一方で、クライアントが意図する開発計画において、帰巣本能と奥行きのある街並みを形成することが重要である。それが、理想的だと自らの考えに新潟の将来像を見出した。朝日に向かい仕事をし、夕陽に向かって帰宅する本能に従順な未来の街づくりだ。

我々の業界にとっては規模が小さいかもしれないが、私は南南西に面舵を取って開発してきた。

二〇〇〇年（平成一二年）に『新潟県土地改良区連合会ビル（約四千坪）』。

二〇〇二年（平成一四年）には大型商業施設に該当する『アークプラザ新潟南店』（約四万五千坪）。

続いて、二〇〇七年（平成一九年）の『イオン新潟南ショッピングセンター（現在：イオンモール新潟南）』（約三万九千坪）

同年の『亀田工業団地北西側区画整理組合』（約二万坪）。

私は、さまざまな施設の不動産開発構成企画者を担い、クライアントやコンサルティング会社と協議を重ね、新潟市に施設を誘致してきた。成功の秘訣とは改めて思うに、唯一無二といえる場所を選定し、ヒト・モノ・カネを集め、いかに時間を付加できるのかがポイントである。

誘致にあたっては開発区域の土地権利者である地主や管理者、ときには行政に対して新潟の地にクライアントが出店する意義、新潟市に生産年齢人口を流入させ地域を活性化させることを説き、用地斡旋を成功に導いてきた。

本書を手に取る読者には、こうした施設を一度は耳にし、利用したことがあるかもしれない。イオンモール新潟南では、県下最大規模のショッピングセンターとして、年間約一千二百万人以上（一日当たり約三万三千人以上、正月三が日では約二十万人）の来場者を数え、その施設関係者で数千人が働いている。イオンモールを取り巻く環境に対して、私の理念が一つ、達成されたと感じる。

もうひとつ、私自身の理念がある。地域創成を成し遂げるにはまず身近なところから。小さな成功がなければ正の連鎖はおきない、という考えだ。四半世紀近く不動産開発業界に関わってくると、新規開発業務の取り組みが地方都市の街づくりにも寄与し、関わるケースも多いことに気づく。

戦後間もない頃、新潟市の農村部から始まり、急成長を遂げた高度成長期。そして、二〇二三年（令和五年）に至るまでに一地方都市が変貌してきた街の歴史には、不動産開発は切っても切れない関係にある。

新潟市南南西での大規模開発は、不可能と思われていた地元関係者から「貴方は神様のようだ」と多大なる評価を得てきた。不動産業に長年携わってきた者とすると、不動産開発での評価とは何かと問われると、建造物の規模だけではない。

クライアントから依頼を受け、開発用地に照準を合わせて、何もない広大な土地に注目すること。そして着工前、土地所有者や権利者、行政担当者との交渉ごとを行ってきた日々にこそ、不動産業の本質があると考える。

平松商事では、その本質に気づいてからは、「陽の当たらない場所に陽を当てていこう」と考え、経営理念にも記してきた。そして、地域にとっての困りごと相談所でいようと考え、経営理念にも記してきた。これまでに関わってきたクライアントが、私に業務を任せていただくまでの信頼と信用はここに通じる。

本書で語るのはタイトルの通り、『南南西に進路を取れ』である。なぜなら、私がクライアントや地主、管理者、行政との交渉ごとで得てきた数多くの知見や目のつけどころが体系化されていないからだ。

次章から伝えるこの智慧が、地域の持続的な開発業務に携われる人たちへ繋がることを期待する。また、第六次産業を狙いとする不動産開発に携われる人や、これから人々の暮らしに関連する業界に関わろうと考えている方にも読んでもらいたい。

本書で得られる教訓は人によっては凡庸であり、非凡にもなり得る。新潟県ないし、地方都市に還元されるような街での開発が増えていくようにと今回、筆を取った。今後、街づくりの行く末を担うものとなることを願う。

平松　勝

M.H

もくじ

第一章　前史

第二章　南南西での大型商業施設の開発　ムサシと一〇年間

第三章　南南西での並行案件開発秘話

第四章　地方都市の未来を拓く、まちづくり

第一章

前史

南南西に進路を取れ

不動産開発を主たる業に取り組む平松がなぜ、地方都市の未来を拓くまちづくりの提言を語るのか。それは自身の体験と新潟県、新潟市が歩んできた時代が無関係ではないからです。まず、大きく時代を振り返ってみます。

平松が代表を務める平松商事。その前身となる個人不動産業は一九八〇年（昭和五五年）一二月に創業しました。

当時の世相は、緩やかな人口増の時代。空路と航路、加えて新幹線や高速道路がある新潟市は、北東アジアの玄関口とされ、新潟駅東大通りには資材貿易を見据えた商社の支店の看板が並んでいました。

こうした背景を経て、新潟市は一九六九年（昭和四四年）代以降から続く『裏日本』の名称から脱却し、『環日本海』と呼ばれるようになりました。さらに、同時期に発表された都市計画によって、魅力的な不動産開発が推進されてきました。
その開発計画とはどのような施策なのか。新潟県生まれの（故）田中角栄氏が総理大臣時代に発表した政策綱領『日本列島改造論』ブーム（一九七二年）が大きく起因しています。

平松勝談（以後、平松）
日本列島改造論ブームとは、首都圏に集中する人や交通、情報通信ネットワークを逆流させる地方分散の考え方。地方創生の始まりであり、高速道路網が新設されて地方都市で爆発的に普及した。
その頃から、新潟市では産業都市を目指すべく、鳥屋野潟南西部を中心的開発地区とする『水と緑の公園都市計画』は真剣に議論されたものだ。

生命の根幹といえる、人間性を取り戻すために自然を生かした環境。大地に恵みをもたらすふたつの大河、信濃川と阿賀野川。豊かな生態系が護られている鳥屋野潟と福島潟。さらに母なる海の日本海。日本各地を見渡しても、新潟市は水の都としてのポテンシャルがあることがわかる。

「産業都市の基盤となりえる」、そう期待されたのが新潟市の鳥屋野潟南西部地区とその周辺地域。

現在、新潟市中央区と江南区に位置し、郊外とされる地域。新潟駅から南南西の方角に位置し、駅から一直線に進路を取る三キロメートル圏内を指します。通称、弁天線通（新潟市道弁天線エリア）と呼ばれています。

この弁天線通は、田園地帯から僅か三〇年間で新潟県内屈指の人が集まる場所へと開発されました。その特徴といえば、鳥屋野潟南部に自然を残しなが

ら、新潟県民にとっての憩いの場である鳥屋野潟公園や施設の数々があること
です。
『アークプラザ新潟南』
『イオンモール新潟南』
『HARD OFF ECOスタジアム新潟（二〇二三年現在）』
『デンカビッグスワンスタジアム（二〇二三年現在）』
『産業振興センター』『新潟テルサ』
『MGC三菱ガス化学アイスアリーナ（二〇二三年現在）』
『新潟市民病院』『新潟中央消防署』
　弁天線通から鳥屋野潟南西部まで、これらの施設が立ち並びます。二〇二
三年（令和五年）以降、新潟県立鳥屋野潟公園スケートパーク（仮称）や、米国
発祥の倉庫型某スーパーが出店予定など商業施設の集積地、大災害時での食
料備蓄基地として期待されています。
　その弁天線通や鳥屋野潟周辺とそう遠くない場所で生まれた平松にとって、

この地域の変化に対する思いはひとしおです。

平松　おしゃれな人が行き交い、お菓子やセレクトショップなどのショーウインドウが立ち並ぶ。いずれは、自分の生まれた場所を新潟の中心市街地の古町通並みに。いや、それ以上の街にしてみたい……。幼少期からそんな未来を描いてきた。

私が大規模な開発に不動産構成企画者として携われたのは、この弁天線通がある南南西地区の繁栄を信じてきたからこそ。

新潟市において地の利を活かせる唯一の場所である。しかし、各農村集落に長らく山積する問題があるのも事実。

不動産開発において、土地を保有する地主や管理者から理解を得られるまでは交渉の日々である。ひとえに、信頼し続けてもらえた関係各所のおかげともいえる。

農家の長男に生まれて――幼少期に抱いた夢

平松が弁天線通を縦軸とし、新潟市南南西を創生したいと考えるまでに至ったのが幼少期まで遡ります。

ときは第二次世界大戦が終戦した四年後、一九四九年（昭和二四年）に生まれた平松は、農家の三代目として新潟市中央区にある『HARD OFF ECOスタジアム新潟（旧新潟県立鳥屋野潟公園野球場）』のそばで少年時代を過ごします。
鳥屋野潟南部は当時、水田と野畑によって自然に覆われ、のどかな田舎村が広がっていました。日本を再興するためにと活気がある者であふれ、人と人が支え合う自給自足の社会システムが形成され、日本の未来は明るいと信じられていました。映画「ALWAYS 三丁目の夕日」に登場する舞台と遜色がないほどに……。

平松
幼少期を振り返ると、映画に現れた下町舞台と遜色がないほど。
午前中は、旧松ヶ崎浜村（阿賀野川河口付近）から私たちの村まで魚箱を荷台に乗せながら自転車で練りまわる魚屋さん。お昼過ぎには、今ではコンビニエンスストアのような小間物屋さんや、夕暮れ時になるとラッパの音を鳴らしてリヤカーを引く豆腐屋さん。

スーパーマーケットもコンビニもない時代に、こうした業者があの手この手で日用品を手品師のようにネタを出し入れするような様子を覚えている。商人たちからは、「今日は疲れた」なんて聞いたことがない。

新潟市立丸潟小学校校舎
1955 年(昭和 30 年)前後

物語から飛び出したかのような集落での暮らし。

甘い菓子は珍しく、めったに食べることができませんでしたが、集落で採れた旬の農作物がおやつ代わりとなりました。

畑から採れたキュウリやトマト、縞瓜。秋になれば柿やサツマイモ、冬にはつるし柿、のした餅の切れ端を乾燥させた豆や胡麻の入ったかたもち。集落に伝わる伝統食があるから、食べるものには困りませんでした。

現在でも注目される、イタリアの小さな村発祥のスローフード文化に近い暮らしともいえます。

伝統文化と食、暮らしと密接に溶け込む生活を過ごしてきた平松は、物はないが不自由さを感じられない、心満たされた幼少期を過ごしました。

だから、目の前に広がる光景が未来永劫続くものだと思い、村での暮らしで一生を終える、農家を継ぎ両親を支えようと志すのもまた道理でした。親族もその考えに喜び、平松自身も親孝行になっていると思い、農業を手伝う毎日。

「農家もそう悪いものではないな」そう平松が考えていられたのも、減反政策と大規模農業経営の波が押し寄せてくるまででした。

平松

我が家だけではなく、一九六四年（昭和三九年）代からどの農家にとっても苦難の連続だった。試験的に開始された減反政策では、米どころ新潟に住む農家にとって大打撃だった。さらに農業の機械化が進み、それまでの手作業から大きく変えないといけない。農業は突如、転換期を迎えたと言っても過言ではない。

機械化に伴い、耕運機がトラクターに、稲刈りがコンバインへ、稲架掛けが乾燥機へと進化します。一方で、農作業を楽にしてくれる機械や施設を導入するために、当時の金額で約一千万円が必要でした。そして、機械を導入するからには広大な農地も必要となります。

　農地拡大は簡単ではないが、そうしなければ暮らしがままならない――

　平松は思案します。はじめ、トラクターの共同購入を考え、五軒共同使用を呼びかけました。そして、農協からは借り入れを行ったのです。

　鳥屋野潟周辺の農地では、水田単作が主流であり、一年に一回の収穫が限界でした。それだけでは農業生産が間に合わず、気候環境によって二毛作に転換するのも難しい。

　厳しい環境下で、大規模農業経営か複合経営を選択するしかありませんでした。しかも、どちらか一方を選んだとしても財産を持つ農家だけが一人勝ちしてしまう、資本主義社会の歪さが現れたのです。

平松　農業を継ぐことが間違いだったかな。親孝行したかっただけなのに。

将来の進路を早く、広く、深く真剣に考えてこなかった自らの未熟さを痛感した。

幼少期に過ごしてきた明るい農村は表面上でしかなく、平松からは暗い影が見えていませんでした。平松は終戦後、マッカーサーの政策による農地解放や、旧体制からなる大地主と小作者という小さくない格差と差別が潜む農村の実態を、後段あらゆる場面で遭遇して知っていくのです。

二二歳を迎えた春、明るい農村という夢を打ち砕かれた平松が選んだのは複合経営の現場研修でした。

実家の保有農地を守りながら、食品販売スーパーマーケットを経営する道を模索しましたが、いまひとつ気が乗らず断念。視野を広めたいと自宅にあった父親の六法全書を読み耽りながら、人生の岐路を考えました。

第一は親孝行、何よりも老いる両親の面倒を見なければならない。複合経営の道、小規模農家といえども付加価値を付けていく方法はないかと探します。

歩んできた道よりも、何処に進むかが重要

当時、労働力不足が続く時代。

平松が考えたのが現実的な仕事に就くこと。とくに、就職しやすい大型自動車の運転免許を取得することでした。そして、タクシー運転手になれる普通二種自動車免許の取得を目的に、運転技術も学べる自動車教習所でのアルバイトを始めました。

自動車教習所では、指導員の立場でキャリアを積みながら働き、生徒として運転免許を取得。そのアルバイト期間はわずか六ヶ月間でしたが、多種多様な業種の人たちにも出会いました。

自動車教習員時代に出会った知人から「農地を持っているなら、税金対策で宅建（現在、宅地建物取引士）資格を持っておくと有利」と教えてもらったのです。後日、宅地建物取引士資格があると税金対策上有利になるのは、誤情報とわかりましたが、知人から何気ないアドバイスが、平松の運命を変えたのです。

平松は不動産業界の現状を知るべきだと考えます。知識習得の為に、学習して宅建資格を取得。その後、不動産会社で就職できないものかと模索しました。しかし、一九七一年（昭和四六年）当時の不動産業界は、グレーな噂が蔓延している時代。両親からも当然、「不動産屋なんて、なぜ？」と不動産業界の就職に猛反対を受けました。

平松　両親は、不動産業界の噂を知っていたためか、私が不動産業界で働きたいと言ってもなかなか賛成してもらえなかった。
だから、あれこれと考え「平松家の農地の財産保全のためだ」と説得材料を揃えた。両親からはその言葉が響いたのか、「自分の片手は、自らを助けるために。もう一方は、他者を助けるためにある」と不動産業界で働いても良いと認めてくれた。

平松が不動産会社として選んだのが、旧新潟市役所近隣にある土地と建物のパイオニアと呼ばれたN不動産会社でした。奇しくも、両親の了解をもらった矢先、N不動産会社の営業マンが自宅を訪れていました。祖父名義であった農地三〇アール（約九〇〇坪）の土地売却の協議から二ヶ月後の話でした。

新潟南南西を意識する、原点回帰

平松がN不動産会社に入社し、最初に配属されたのは営業部。そこで、上司と不動産を仕入れるために営業に出かけていました。未経験で入社した平松にとって、不動産開発の業務を学び、上司の手法を見て覚えることに必死でした。はじめ、クライアント宅に到着しても、どこの地域にある、どの物件をどう取り扱うのかさえ教えてもらえませんでした。クライアントから「あなたは、何をしに来たのか」と笑われる日々。

だから、平松は上司の営業トークを聞き、何坪をいくらで取引するのかを手帳に記していました。会社員時代を振り返ると、平松がとくに覚えているのは上司のある言葉でした。

平松
ある日、営業先となる大手遠洋漁業会社の帰り道のこと。上司は、その代表の生き様と言葉に感銘を受けて道端で叫び始めた。

「あの赤い夕陽が沈む大陸へ赴き、広大な大地を開発するのだ」

私は、唐突な上司の言葉に印象が深く残ったのだ。「何ですか」と聞くと上司はこう付け加えた。

「（漁業会社の）代表は言う。商売で訪れた数々の国、その港から中心市街地に向かうとわかると。中心市街地から南南西の進路を取ってみると、住宅地が立ち並んでいる。また、中心地から北東には工業地帯が形成されている。世界中のどこに行っても、こうした街並みのようだ」

つまり、街づくりは人間の『帰巣本能』に従って進められている。だから日本も一緒だ。朝日に向かい職場に行き、夕陽に向かい自宅へ帰る。人も鳥も、皆一緒だ。

上司は言葉通りに、新潟駅から南南西に位置する場所に、次々と宅地分譲の開発を着手し、成功を収めてきました。平松は、上司と常に行動していたため、脳裏に刷り込まれるほど帰巣本能と開発について聞きました。だから、街づくりとは帰巣本能の理に適う形で行うものだと、平松自身は開発イメージを膨らませていったのです。

新潟震災以降、西へ伸びた新潟市街地

前段で述べた通り、不動産業に携わることになった平松。さらに、地元新潟のため、不動産開発で貢献することができないかと考え始めました。その原体

験とは、一九六四年（昭和三九年）六月一六日に生じた新潟地震でした。

新潟地震は、同年に開催した新潟国体に合わせて作られた昭和大橋を崩壊させ、鉄筋コンクリートで作られた県営住宅の数々を倒壊させました。また、昭和石油新潟製油所のタンク火災を引き起こし、その被害は甚大でした。

新潟地震　1964 年(昭和 39 年)6 月 16 日

平松
震災時の光景が、今でも脳裏から離れない。

新潟駅から万代地区に伸びる鉄道路線が大蛇の如くうねっていた。石油タンクから上がる煙で半年間、空が漆黒で覆われた……。

両親から引き継いだ農地にも被害が大きかった。田植えのシーズンから一ヶ月後に起きた震災。水田の早苗は水面藻で波打ち、への字状態。それを手で元に戻す作業が辛かった。もう一度、田植えを行うようなものだ。

気候や地形さえも揺るがす悲惨な状況を体験し、後年地元愛を強く持つきっかけとなった。


新潟地震は他にも、とある風潮を呼び起こしました。

地盤が安定する地域での土地開発を推進しようという考え方です。とくに、新潟市内の中心市街地、古町通から東部や旧新潟県庁舎から西部の地盤が比較的安定し、高級住宅地の開発候補地とされていました。
同地区ではさらに、国道一一六号が横軸として開通しました。しかし、都市計画では国道一一六号の縦軸となる南北道路拡張については未整備で、生活インフラが整っていませんでした。

平松
上空から新潟市を眺めると、北北東の日本海に向かってカモメが飛んでいるかのように見える。中央区が胴体になって、西区から北区に向かって翼を広げ、羽ばたいているかのようだ。
私は不動産業に携わってから、お客様にとって住みやすさと移動時間との関係性について考え抜いてきた。その観点で新潟地震以後の土地開発を見ると、新潟駅から遠い場所での開発であり、都市計画が偏ったといえる。しかも、道路が一部未整備なまま。地盤の良さと南傾斜の日当りの良さが売りであった。

お洒落なレストランやブティック。中心市街地を目指すエリアでは、市街地開発と平行するように商業施設が立ち並びます。

一方で、平松の故郷となる新潟駅南口から南東部と南西部一帯（弁天線含む）は、地盤が軟弱な地帯と評価されていました。田園が広がる南部は、水田単作農地が行われ、地下水位が高く、地盤が軟弱と見なされ、開発地区としては遅れをとっていたのです。

書籍「写真でつづる新潟の今昔」1979 年（昭和 54 年 6 月発行）
発行者：新潟市写真館組合

平松　日本列島改造論ブーム後に、開発が進められたのが新潟バイパス。着工までは、中心市街地を商業地帯と見立て開発が推進されていた。誰も異論を述べることができなかっただろう。唯一、周辺地域に住む住民の理解を除いては。

一九六九年（昭和四四年）代に入ると新潟バイパスの開発整備により、古町一帯は転換期を迎えます。道路拡張の開発に伴い、古町通に接続するために再工事が決定しました。しかし、再工事で問題となったのが、国道七号と八号との連結部分に関する拡張工事です。

再工事が決定すると、長距離トラックやダンプカーなどの大型輸送車両が行き来することが増え、近隣住民やこの地で商売をする人たちから苦情が相次ぎました。

平松
古町通はもともと、車や人の往来が多い。だから、古町通周辺に住む人や店舗を構えるオーナーから、「(古町通の)柾谷小路に大型ダンプカーや長距離トラックが通行するたびに埃が舞い、騒音もあって迷惑だ」「新潟バイパスを郊外で新設してほしい」と意見が挙がり、大型車通行禁止を掲げる反対運動が起きるほどだった。

商業と生活区域、古くから両方の性質を帯びる中央区の住民にとって、大型輸送車両の騒音や環境問題は耐え難い。地域住民や地主が反対する理由は明白だったといえます。

だから、大型輸送車両は市街地の繁華街への通行禁止となり、接続はもとより新潟バイパスは郊外での建設が余儀なくされました。

その後、新設された新潟バイパスは新潟市の郊外へ開発が伸びていき、鳥屋

野潟周辺の女池から海老ケ瀬まで伸びていきます。人の流れもいうまでもなく、現在の中央区南部へと広がっていくのです。

平松

昨今、旧新潟県庁舎があった一番堀通町を見れば、この開発の影響はよくわかる。若年層や女性からの視野から徐々に外れてきたのだ。古町通では、過去に展示された商品が陳列されたままで、消費者目線で人気に陰りが出始めたと噂を聞いた。また、古町通に行かなければ手に入らない物があれば別だが。一時は話題にものぼらず、人が立ち寄らない街になってしまった。

欧州諸国の都市はどうだろう。古町通に構えるようなこぢんまりとした店でも、繁盛する名店が数多く残っている。なぜなら誰もが真似できない、個性的な商品が目を引くからだ。

古町通ではそういった動きが見えづらい。だから、その周辺に住んでいた人たちも、便利な郊外へと住居を移してしまったようだ。

周辺に住むにあたって考えられた配置・構造

新潟バイパスが完成以後は、新潟市の南西部に高速道路をはじめ、インフラが整備されていきます。商業施設の風習として、交通の利便性を配慮した開発は進み、開発とともに道路沿いに商業施設が建設されていきます。

新潟市で働く人たちも郊外に住む割合が多くなっていきました。通勤経路を考えるなら、職場までの道のりで買い物できたほうがいいと考えるのは頷けます。

一九八五年（昭和六〇年）に改定された『男女雇用機会均等法』も、人の動きを変える要因のひとつになりました。

法律改定後は、地方公務員の中で優秀な女性官僚が誕生し、活躍が見られるようになります。こうした女性のキャリア形成の変化によって購買に対する要望が変化していきます。

平松　男女雇用機会均等法が整備され、優れた女性が公民問わず重要役職に登用されてきた。彼女たちは、地方官僚としてキャリアを積むために夜遅くまで働くようになる。

新潟市では、自家用車があらゆる移動手段である。郊外住まいの女性たちにとって、職場からの帰り道に入りやすく、駐車料金がかからない、向かって左側にある施設が好まれる。

女性のライフスタイルが現代に近づくほど、大量少品種から少量多品種が揃う商業施設に訪れるようになった。夜遅くに帰宅した際に、少量であっても品目が多い食事で良くなっていく。個人商店が多く、大量少品種に適した商店街に立ち寄る必要性が無くなっていったのであろう。

『時代を読む力』

近年、不動産開発と利便性は切ってもきれない。しかし、時代の変化を先読

みし、開発を行うのは未来の構想次第です。時代を読む力で新潟市の開発計画を観察するのも、不動産開発に携わる者には必要でした。

「鳥屋野潟南西部を文化地帯へ」　新潟市の変化

新潟バイパスの再工事とライフスタイルの変化によって、スーパーマーケットやコンビニの運営企業は、鳥屋野潟周辺地域が開発に適していると考えるようになりました。平松が願ってきた地元周辺地域での開発案件が次第に増えていくのです。

新潟市の行政も後追いで続きます。一九八一年（昭和五六年）二月に発表した都市づくり計画では、二〇一〇年（平成二二年）までに鳥屋野潟南西部を中心的開発とし、水と緑の公園都市を目指すことを掲げました。

平松
今から四〇年前となる一九八三年（昭和五八年）に、鳥屋野潟南西部を文化地帯と見立て、産業都市として開発を行う都市計画が発表された。
この計画には、二〇二二年以降の新潟市においても実現したい事項が盛り込まれていた。もし、実現されていたなら人口増の一端を担っていたことが容易に想像できる。

構想で挙げられていたのが鳥屋野潟周辺のモノレール建設計画。鳥屋野潟をも横切るような経路を辿る予定だと、当時聞いたことがある。
もし、モノレール建築が実現していたら弥彦山を背景に新潟空港の飛行場から日本海、信濃川、万代橋、八千代橋、昭和橋を跨ぎ、夕日に向かって水上を走る。そう聞いたら、子どもたちはどれだけ喜ぶだろうか。目的地が決まって緊急性がある人たちにとって、一直線に移動できるモノレールは有効的である。しかし、計画は今となっては絵空ごとだったかもしれないが、計画のままで終わらせては意味がない。一九七二年の田中角栄総理大臣誕生から五二年後を生きる私たちには、開発の技術進化、地盤の安定化を基づき、水と緑の公園都市開発計画は実事求是かもしれない。

新潟市が文化地帯を目指すなら、田中角栄氏の言葉を借りると「新幹線は人と情報を運び、高速道路は人と情報と物を運ぶ」。情報を集約し、搬送できる産業都市の街づくりが必要だと平松は考えます。

新潟バイパスや新幹線、航空機の滑走路の拡大。そして、近代の日本における物流を支えた北国廻船の存在、陸海空すべてにおいて流通の基盤が揃っている強みを活かせる新潟市です。

平松　インターネットが発展した昨今、流通の重要性がより高まっている。流通の基盤が揃っている新潟市なら、商業施設は流通網の近くに作っていくのが良い。新潟市が次に目指す先は、恵まれた環境下で農作物を作るだけではなく、コシヒカリや新之助を食べて働いてくれる生産年齢人口の対象世代（一五〜六四歳）を呼び込むこと。そして、第六次産業へのシフトと働く場所の創生が必要なのだ。

平松自身、N不動産会社から独立以後は、アークプラザ新潟南を中心としたクライアントやコンサルティング、土地所有権者との権利交渉や行政提案、相続対策に関する判断を行ってきました。その背景には働く場所を創生する、これからの新潟市を考えた取り組みでした。

開発までのロードマップ

次章からは、弁天線エリアでとくに印象的な開発業務であるアークプラザ新潟南について触れていきます。その過程を体系化するために開発のロードマップをまとめます。

「クライアントをはじめ、コンサルタント社の現場力や多くの協力会社がいたからこそ、不動産開発業務に携わってきた商業施設を完成することができました。一人では到底なしえなか

一九九二　南南西での大型商業施設の開発　ムサシと一〇年間

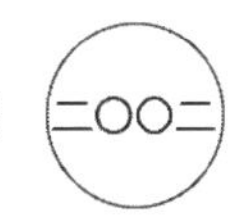

クライアント
- 開発案件の相談
- 出店候補地の選定
- 出店候補地の調査

土地権利者
- 開発区分、開発用途での交渉
- 土地権利者との交渉
- 土地改良区との交渉

行政
- 開発用途での行政交渉
- 遺跡調査と埋め立て工事
- 開発工事

クライアント
- 行政からの道路拡張買収交渉
- 完成直近のクライアント交渉

ったもので、この場を借りて、深く感謝を述べたい」と平松は伝えます。

第二章

南南西での大型商業施設の開発
ムサシと一〇年間

鳥屋野潟南西部への熱視線

前章では、新潟駅から南西に進路を取って、産業都市を目指す新潟市の歴史を振り返りました。

二〇一〇年（平成二二年）までの新潟市の目標は、鳥屋野潟南西部を中心的開発とし、文化地帯を創出することでした。

一九六九年（昭和四四年）代から鳥屋野潟南西部周辺地域では新たな県庁移転予定地構想や、水田高度利用研究センターのアグリポリス構想が持ち上がり、計画的に建設する地帯では説明会が開催されてきました。

開発計画が南西部へと伸びていく中で、商業地帯の集積地としての期待が高まった出来事がありました。それは、一九八七年（昭和六二年）に国土庁（現国土交通省）から発表された全国総合開発計画『第四次全国総合開発計画（以後、四全総と表記）です。

四全総とは、日本各地の土地利用や開発、保全に関して総合的に、かつ基本的な計画を記したものです。その計画に沿って、各都道府県が都市や道路、その他交通基盤といえる社会資本の整備を進めていきました。

四全総では、新潟県に対してこう記載されました。

日本海沿岸地域発展の拠点として、新潟について空港、港湾等の国際交流機能を強化する。臨空性を活用した工業開発等を促進する秋田新都市を整備し、盛岡、山形等における新たな都市機能集積拠点の整備構想を進めるとともに、テクノポリスの整備等とあわせ、エレクトロニクス等の先端技術産業等の立地促進及びそれらと既存地元産業との複合化や鉱物資源等に関する技術開発の推進を図る。

新潟についても、将来における環日本海交流圏の発展を踏まえつつ、国際業務機能、国際交通機能の充実を図り、日本海沿岸地域の国際化、情報化の進展を促す。

四全総引用

四全総では、日本海側にある地方自治体を東北七県で区分（青森県、岩手県、宮城県、秋田県、山形県、福島県、新潟県）された中で、新潟県はとくに日本海沿岸地域の発展を担う拠点地域として期待されました。

働く場所を創生したいと考えていた平松にとっては、「新潟の優位性が認められた」という国土庁のお墨付きに対して、これほど嬉しいことはありませんでした。

続けて、高度経済成長以降の日本で担うのが新潟だと確信するニュースが飛び込んできました。それは、四全総直前となる一九八五年（昭和六〇年）頃、新潟市内で行われた、日本経済界のトップリーダーと新潟市の傑物との会談でした。

日本は広いといえども、この新潟が経済の銀座通りになる。

理由は、東京から新潟が近いこと。そして、東京がもし新潟地震のような首都直下地震に遭遇すれば、日本経済界は元も子もない。だから、情報も物も集まる場所が重要なのだ。

新潟の交通網は、札幌や博多まで日本海側を経由できる国際空港や、新潟港、新潟駅から三キロ圏内に七二万坪も開発できる場所。日本広しと言え、ここより他にない。

平松は当時、大物財界人と日本経済界から「新潟県は、日本の経済の中心となりえる」と賛辞が送られたと人伝に聞きました。

当時、新潟市長は経済界からの期待に対してすぐに動きました。新潟大学元学長を座長として有識者を組閣し、実現可能かを検証したのです。

その検証結果として、これからの新潟県の中心部となる場所は鳥屋野潟南西部であると発表。新潟市の広報紙『市報にいがた（都市問題懇談会提言特集号"三十年後の新潟"望まれる姿昭和五六年二月十一日号）』で全四ページに渡って、その内容が掲載されたのです。

号外　市報にいがた

活気ある産業都市をめざす

産業

東港に農水産物総合加工コンビナート

広大な文化地帯

鳥屋野潟に建設

教育・文化

感受性を土壌に国際的文化都市へ

〈教育・文化・余暇〉各種施設を集め文化の中枢帯に

活力に富む商業都市に

都市型農業へ

生涯教育の場オープン・ユニバーシティの創設

号外

都市問題懇話会提言特集号

にいがた

"30年後の新潟"望まれる姿

スコーレ・ゾーン

水と緑、活気ある市民の街が基本

市民の合意できる将来像へ向け努力

住みよい社会など三つの道めざす

提言総論

号外　市報にいがた

人間本位の新しい体系づくり

交通

道路

使用目的を明確化様々な機能もたせる

将来構想をまとめるにあたって

北村　四郎

号外　市報にいがた

"水と緑"の公園都市

信濃川

河川敷公園、砂丘の復元

都市づくり

土地利用

市街化区域の見直しを！

人口推移

30年後に75万人

「新潟都市圏」で103万人

鳥屋野潟南西部を中心的開発地域に

―「人船地区」は再開発を―

参考文献　市報にいがた

平松
会談の参加者からは、新潟市役所に対して「弁天線通での利便性を高めるため、車の行き来を考えて幅員は百メートル必要だ」と口々に語っていたようだ。
また、当時の新潟県副知事は経済界の要請に対して、鳥屋野潟南西部に十年計画で数百億円規模の開発投資を検討するほどだった。これほどの動機があれば、私に限らずに鳥屋野潟南西部周辺地域の発展はまず間違いないと思うだろう。
新潟の中心部を見据えた鳥屋野潟南西部での開発投資が検討されたのもこの頃。開発を行えるように、新潟がバックアップしようとしたのである。

開発の機運が高まっている一方、産業都市に向けた取り組みが行政組織の隅々までは浸透することはありませんでした。

平松が独立以後、鳥屋野潟南西部の用地斡旋を行うため、行政の責任者と協議していました。しかし、行政は大規模な縦割り組織で、いっときの市長が推進すると発表しても組織として一枚岩で取り組むことはありませんでした。

しかし平松自身は、この流れを堰き止めたくないと考えます。そして、地域開発でのその一役を担いたいと考え、地域の発展に寄与することを目的とする『十日会』を立ち上げました。

ここで得た学びは大型商業施設での開発、具体的にはアークプラザ新潟南での業務に結びつきました。

クライアントの要望は自己表現で応える

平松が創業して一二年目となる一九九二年（平成四年）の夏に転機が訪れます。

「コンコンコン」とドアを叩く音。平松商事の事務所にとある人物がアポイントメントなしに飛び込み営業で訪れました。名刺交換すると、彼は新潟市で開業まもない不動産業者とわかりました。彼の名をM氏とします。

M氏の朴訥な語り口から話された相談ごとは「約三万坪でまとまった土地はありませんか？」という開発案件でした。

三万坪といえば、東京ドーム約二個分に相当します。これほどの開発規模を要する開発案件を開業間もない不動産業者が扱えるものなのか。そう考えた平松は、依頼内容を精査するためにも何度も問いを投げかけます。

「不動産開発の用途はどんなものか？」

「大型ショッピングセンターを開発したい会社の依頼です」

「具体的な業種を教えてほしい」

「新潟市青山でホームセンターを開発したことがあり、商品構成も多いです」

「クライアントの年商、業界規模はどのくらいか？」

「新潟県内業界売上二番手の会社で、年商は約一二四億円（一九九二年当時）です。商業施設内では、住宅設備や食料品販売、リーシング業務を予定しています」――


ここまでは一般的な依頼内容でしたが、平松が疑問に思う一言が発せられます。


「土地売買または賃貸借契約の希望は？」

「（契約内容を含めて）すべて任せる」

平松自身にすべてを任せるとはどういう意味なのか。これほどの大規模であれば業界最大手の不動産開発会社が主たる企画構成者を務めるのが多いはずです。約三万坪規模の大型商業施設において、すべての責任を不動産業者が持つことはありえるのか。

しばらく様子見をしようかと考えた平松でしたが、その数日後にアークランドサカモト社（現在、アークランズ株式会社）開発担当の課長がM氏と同席して来社しました。責任者からの話を総合すると、開発案件は本当らしい。

しかし、平松自身は三万坪と聞いてもどこか現実感がなく、全貌を計りかねていました。しかも、大型商業施設の主たる現場責任者は初の試みでした。

平松　アークランドサカモト社から開発相談の話をもらい、武者震いしたのを覚えている。それまでは、大型商業施設に関わる仕事は少なく、市街化調整区域や農業振興地域内で開発する医療法人の病院用地斡旋が多かったからだ。

これほどの開発案件をもらえたことは自分の力を試す、格好の機会ではないかと思えた。自己実現ができる場所、そして表現できる案件ではないかと。人によっては怖気を震うほどの規模だ。

しかし、私なりの一筋の光は見えていた。大型開発業務はある意味では、映画や舞台芸術を製作し、発表することに近い。

アークランドサカモト社の開発要件を当時知る地元関係者にとって、本当に完成できるなんて信じてもらえない。そこから始まったものだ。

クライアントが要望する開発用途はあくまでも要望であり、計画段階では開発区域内の所有者となる地主や管理者、ときには行政に対して説明しても意味をなさないからだ。

しかも、施設や図面そのものがない中で地主一人ひとりと交渉していき、信頼と信用してもらうには、主たる企画構成者の力量が問われる。発するセリフ一つひとつが鍵になるほどだ。

小道具を用いない独り舞台を演じ、観客を沸かせるようなもの。企画構成者をこれから担う者は、独自の視点でのシナリオとセリフが大切ともいえる。ムサシが完成するまでの約一〇年間、そういう思いで取り組んできた。


これが、平松にとって地域開発の大きな一歩目となる、スーパーセンタームサシ新潟南店がキーテナントのアークプラザ新潟南の始まりでした。

こうした大型商業施設建設では、計画段階から数年から十数年までかかる

ことはザラにあります。しかも、失敗が許されないプレッシャーの中で開発の日々を過ごす、不動産開発業はそれほど責任が重いもの。

平松

大型商業施設建設で協力を仰いでいた人からは「止めときな、俺ならしない」と言われていた。しかし、大型商業施設の開発経験が乏しい中で、私にようやく巡ってきたチャンスと捉えた。

だから、企画構成から開発以後の新潟のビジョンまでを頭の中で描き続けた。だから、関係者から一挙手一投足を見られても嘘偽りのないストーリーを伝えることができたのだ。

鉛筆の芯を折る、行政との最初の闘い

一九九二年に、アークランドサカモト社から、平松は当件に関して、地主交渉の主たる不動産構成企画者として選ばれました。不動産構成企画者とは、広義では総合デベロッパーとも呼ばれます。開発する用地取得から企画開発、あらゆる営業、運営管理を担い、「この街には何が必要か」と地域住民と協議し、開発案件を実現する役割です。

平松は開発の担当者として、アークランドサカモト社の要望に沿った開発用地の候補地を探し、提案します。開発規模は前述通りに三万坪、条件に合う土地を探すのも一苦労です。しかも、平松が提案する候補地の選定はある条件がついていました。

街づくりの基本である開発区分は、地方自治体ごとに都市計画法で定めら

れています。そのため、街の方針に従い、安心安全な市街地の形成です。無秩序な市街化を防止するために線引きされています。

もともとスーパーセンタームサシは、新潟市西区を出店候補地として考えてきましたが、開発区域の要件と多くの土地所有者の意見をまとめられず、撤退しました。そこで白羽の矢が立ったのが平松でした。

平松が調べたところ、当初の開発予定地は新潟市が指定する市街化調整区域内の農業振興区域に該当していました。

市街化調整区域とは、開発区分の中で住宅地や商業施設を建設することが原則認められていない区域です。だから、開発区域の取りまとめをする際に、地主内で農業継続派と農地転用派で意見が二分したのだろうと推測しました。新潟市の土地開発の難しさはここにあります。

新潟市ではエリアごとに、市街化調整区域内農業振興地域といった開発使途が決められています。そのため、開発予定地では農地は保護され、生産性を上

げる場所として、開発不許可の制限が定められていました。開発区域が広大になればなるほど、複合的に区分が交わる場所での難易度が高い開発を余儀なくされます。

平松

米どころの新潟では農業を守ることは古くからの慣習となっている。だから、農地を保護する名目で開発使途が農業振興に批准するかを検証され、行政の担当者からは「百年待っても、難しいだろう」と言われた。私も断られるどころか交渉の場にも立たせてもらえないこともあった。こうした縦割りの組織に対して、地主が開発に対して肯定的な意見を持って交渉の場に同席しても意見を覆すことができない。四全総が発表された鳥屋野潟南西部でも同様だった。

行政との交渉において、都市計画法で制定されている区分によって初めから断念するのは経験が浅い者が行うこと。日本の各省が定めた計画方針を自身で理解し、高度な法律での解釈を織り交ぜながら交渉することも必要なのだ。否定されて終わりでは、私たちの不動産開発業の存在価値はないに等しい。相手のいくつかの論法にも負けず、鉛筆の芯を折る覚悟で臨んだ。

不動産開発業に携わる者にとって、初めて開発予定地を断念しやすい場面もここです。アークランドサカモト社も一度、出店を断念した経緯から新潟市の事情を知っている平松に地の利があると開発案件を託したのです。

不勉強、かつ不誠実

開発案件を託され、平松はスーパーセンタームサシが出店できそうな候補地を選定していきました。複数の候補先のうちアークランドサカモト社と協議を重ねる中で、「開発候補地の一つである姥ケ山地域（現在、スーパーセンタームサシ新潟南店がある場所）が良さそうだ」となります。

平松は前もってこの地域の特性を知るために、地域と関わりが深い地元の有力者に表敬訪問を行いました。

平松　地域を知る上で、地元の有力者へご挨拶に伺うのは当然。細心の注意を払いながら謁見し、地域での同意と反対運動が起きないように根回しを行うためだ。

ただ、地元の有力者であってもすべてが真っ当な人物であるとは限らない。印象的だったのが威光を笠に着た、とある人の豹変ぶりである。


私が初めてご挨拶に伺った際、彼には紳士的な対応をしてもらった。なおかつ鳥屋野潟南西部の地域振興に積極支援を表明してもらった。

開発に向けて了承を得たと捉え、後日改めてアークランドサカモト社の開発責任者二名とご挨拶に伺ったときに豹変したのである。

彼は突如、これまでの積極支援を覆したのだ。

「私の言うことを聞けないなら、開発区域での排水路の水を遮断させるぞ。新潟市にも、数十億円規模で設備投資しなければ開発を一切許可しないよう要請する」と加えて言う。

前回、訪問時での表明とまるで話が違うではないか。開発前で、何も行っていない時期にその変貌ぶりには驚かされた。

彼は剣幕でまくし立てるだけで、私も同席してもらった担当者にも顔が立たないものとなってしまった。


しかし、話はそれだけではない。

こちら側に不手際があったのではと思い、再度彼と会うことにした。彼と会うとなぜか表情は優しく、穏やかな態度を取る。

怪しいと思いつつも、訪問の終わり際に彼が突如指を三本立てて、「工面してくれたら支援してもいい」と意味深な態度を示した。

私はもちろん、彼の不当な要求に対してきっぱりと断りを入れて、本人に近づかないようにした。

その人とは、開発案件以外では大きな嫌がらせがあったわけではありませんでした。平松も、会うことを避けて、難を逃れることができました。

開発業務ではこうした個人的な利益誘導は大いにあり、一度屈してしまうと二度と逃れることができません。平松にとってこの出来事は、これから続くアクシデントの前触れでした。

見た目では判らない、開発地に潜む落とし穴

不穏の影はありましたが、平松とアークランドサカモト社が候補地から最終的に選んだのは姥ケ山地域。

姥ケ山は前段で説明した通り、二〇年前までは市街化調区域内の農用地でした。しかも、農道と用水路、排水路が囲む一部水はけの悪い農用地と評されていました。

姥ケ山地域はさらに、農地の場所によって高低差が生じて、自然勾配で水田から排水路までの流れも一定ではありませんでした。開発に伴い、用水路の一部の水が遮断される可能性があり、耕作ができなくなる難しさがありました。

こうした事情から、農用地を補填しながら行う姥ケ山地域での開発に乗り出すことに決定しました。そのため、平松は新潟市役所で農振地域を担当する農業振興課に訪問し、姥ケ山地域で開発を進めることを告げました。その際に、担当課からの回答は予想がついていたため、開発の妥当性を前もって考えていました。

その妥当性とは、四全総に照らした新潟市の開発区域と、地図で示された商業地区としての優位性です。四全総では、姥ケ山地域が商業地区に望ましいと記載されていました。
しかし、行政の担当課のリアクションは冷ややかなものでした。農業振興地域に該当するため、「農業振興地域にある水田を守りたい」として開発申請の下打合せの許可さえ認めない態度でした。

平松
農地課は、開発許可に対して頑として首を縦に振らなかった。ただ、私と行政の考えの違いはさほどないように思えた。いわゆる、鳥と蟻の視点の違いでしかない。
農地課においても地元の農家を守りたいし、一度でも許可する前例を残したくないという心理状態である。担当者にとっても身近な入り口、農家の食い扶持となる農業利用できる土地を守らなきゃいけない葛藤も理解できた。

しかし、私は四全総をもとに、大局観で新潟市と地産地消を推進できる新たな働く場所の創出を提案した。

姥ケ山地域だけを見れば、交通量が多い国道四九号に隣接し、新潟バイパスの結節点である。高速道路の拡張による利便性が高まっているタイミングで田んぼを作ることはないだろう。お米を食べる人たちが働ける場所を率先して作るべきではないかという出口の話だ。

行政との押し問答は、約七年間を費やしました。開発期間のうち半分以上を占め、承認を得るまでに途方もない日々でした。平松は、この七年間で「作らせたくない」と行政からの難題を幾度もぶつけられました。

解決の糸口を掴めない中でも、平松は行政に理解を求めました。

平松

私は、開発に対する行政の考え方が十分に理解できた。だから、建設的な解決を図ろうと「あなたたちができないとするムサシの開発に対しても、課題を提示してほしい」と伝え続けてきた。

行政が抱える課題に対して正答できないなら私たちの能力不足といえる。だが、問題提示しないのは行政の能力不足ともいえるからだ。それでは、何年経っても問題解決しない。

最初はお互いの視座によって平行線を辿っていましたが、交渉を重ねる中で、

行政側で段々と味方してくれる人も出てきたのです。

平松

行政や農業を取り巻く諸団体は、農地を守る立場から雁字搦めとなり、できない事項で縛られてしまう。しかし、他課に立ち寄ると私の考えに賛同して、その話に乗ってくる人も現れる。

産業振興課や観光課、国際交流課など新潟を活性化したいと考える部署と私の意見が一致してくる。次第には、「新潟市だって多くの人を集められるポテンシャルがある」と信じてもらえるようになってきた。

行政は行政で動けない理由もよくわかる。個人的には新潟市をよくしたいと正義感を持っていても、特定企業に対して行政が動くことは利益供与として捉えられるからだ。

「個人的に応援したいけど……」「街を良くしていきたいけど……」と立場上取り組むことができないことで何千人が働ける場所が生まれず、若者ほど地元を離れてしまう悪循環が起きてきた。

大型商業施設を誘致することは、働く場所を創出することだ。その場所で地元の産品を購入してもらい、地産地消につなげる。行政に対して、一貫してこの思いを主張した。

行政に人口減少化や四全総の意味合いを問いかけ、自分と同質の人間であることが段々とわかってもらえた。そこらへんは、開発案件の面白いところだ。

後日談になるが、新潟市の旧都市開発課と市街地整備課の職員。そして、まちづくり推進課の課長と課長補佐には本件を「とても良い開発構想だ」と推奨してもらい、感謝する。

行政の交渉ごとにおいて、すぐに結果ができないのが当たり前です。平松は七年の歳月で、絶対にできないなんてありえない、という心情が育まれました。そして、人は絶対死ぬが、死ぬこと以外に絶対はない。問題解決はできるということを証明したのです。

地主と契約締結するまで

開発着手までの手順として、行政との交渉と同時期に行うことがあります。

それは地主との交渉です。

開発予定地となる土地にはそれぞれ、土地所有者として地主が権利を有します。そのため、開発案件では、土地を所有する地主の同意なしでは開発を進めることができません。

スーパーセンタームサシの開発予定地は当初、約三万五千坪。どのくらいの地主がいて、何坪を保有し、開発用途に対して希望は何か。地主ごとに要望を聞き、細かな開発同意書を締結します。

平松が地主との交渉を始めたのが一九九二年八月。姥ケ山地域での開発区のうち、地権者に該当するのは七〇世帯、親族を含めると一八〇名以上となります。

アクセスのよい立地ゆえに、将来自社で使用することを見込んで購入していた非農家もいました。軟弱な地盤と評されたエリアであっても、開発の技術進歩によって危険度を下げることは十分に可能だからです。

こうした地主たちと交渉する中で、契約内容について協議することが多くありました。

当件のような大型商業施設での契約では、土地を買い取る売買契約ではなく、土地を借り受ける賃貸契約を結びます。そこで、この賃貸契約での契約年数の交渉に時間を要しました。

一般的な小規模の商業施設では一年間の契約となり、契約更新月前に地主と契約内容を協議します。

しかし今回、開発予定地の北側に位置する約一万坪を加えた約四万五千坪の大規模な開発用途に変更されたため、アークランドサカモト社としては単年ではなく、投資金額を顧みて何十年の契約を結びたい。一方で、貸主となる地主としては自分の土地を自由に使える権利を保有しておきたい。

契約年数の要望がお互いに合わずに、平松は間に入って内容の擦り合わせを繰り返し行ないました。

平松
契約内容は外部流出しないから、イメージしづらいかもしれない。
商業施設と住居の賃貸でも違いがある。そして、開発規模が大きければ大きいほど関係者の地主やその家族と増えていき、意見の食い違いが起きて頓挫するほどだ。だから、事業用定期借地権という新しい契約締結の方法を考えて提案したのだ。

事業用定期借地権とは、事業用途のみに限定して土地を貸す方法。当時、最長二〇年間契約を結べるメリットがあったものの、その代わりに原状回復を求められる契約でした。

アークランドサカモト社にとって、事業用定期借地権であっても妥協案でした。なぜなら、二〇年間の賃貸で投資回収が可能と言われるのがコンビニエンスストアやレストランといった小中規模開発。

スーパーセンタームサシではどうでしょう。投資金額は推定百億円近くとも言われています。到底、二〇年間では回収しきれません。たとえ、再契約を前提に建っても不利益が生じやすいのです。

平松　契約において、クライアントと地主間で揉めるのが契約年数である。とくに、借り主が有利な条件を結ぶことが多い賃貸契約において、クライアントの落としどころが重要である。

事業用定期借地権であっても、当時契約期間が一〇年以上二〇年以下（現在、借地借家法の改正によって二〇〇八年一月一日以降は一〇年以上四〇年未満）であり、投資金額と本当に見合うのかとアークランドサカモト社から問われた。

再契約を前提に建つと想定外なアクシデントが起きるものだ。

例えば、二〇年間で地主によっては相続が発生し、契約内容の見直しはありえる。クライアント側も立場上、円満な関係性が続くように地主の顔色を伺ってしまう。そうなると、一方が不利益を被ることになる。

開発業は完成して終わりではなく、その後もお付き合いする必要があるもの。そのため、完成してから本番といえる運営管理業務もおろそかにできない。

開発着手までに交渉する相手は、地主にとどまりません。

農家が水田を維持管理のために必要な場、具体的には農業用の農道や用水

路は、一個人の所有ではなく公平性を担保するために、土地改良区という組織が編成され、同組織が管理します。

土地改良区が所有者となって、管理人として目配りする必要があります。開発着手となれば、農家たちと土地改良区との相関関係を踏まえて、交渉しないといけません。

土地開発内に仮に水田が三百坪あると約一〇パーセントが土地改良区域となります。当件では、亀田郷土地改良区が開発地内の一〇パーセントに相当する四千五百坪を所有していました。

さらに、全地主からなる同意率が満たない期間中は、平松は管理者と交渉しても了承を得られない時期が続きました。

なぜなら、管理者は地主全員が望む開発なのか、同意を得ているのかを優先します。その後、客観的な視点で農地への配慮が必要かを検討します。その裏側には、集落の農地を開拓してきた人物と、その意思を尊重する大義からくるものだったからです。

平松
亀田郷土地改良区域では、管理者の分区長がエリア内の用水路や道路の保守点検と維持管理を行う。だから、事業立案や実行、予算審議が必要となり、重要な役職には集落でリーダー気質を持つ者が専任されることが多い。
コンサルタントが測量交渉に伺ったが、管理者に非協力的な態度を取られてしまった。
土地改良区というのはあくまでも農地保全組織であるが、当件の開発予定地となる農地、亀田郷土地改良区は他とは毛色がどこか違う。食を得る。その目的のために、水に浸かるほどの過酷な環境下で沼地のような水田から乾田に導いた功労者が管理者であったのだ。

私は賃貸契約書のいくつかを参考にして、事業借地を作るために契約上の留意点を付け加えることで合意してもらえた。

裏の意図を推測する、観察眼

アークランドサカモト社での開発着手前に、平松は地主七〇世帯すべてに交渉していきました。

地主によって家庭環境が異なるため、個別要望も挙がりました。開発業に携わって経験が少ない者は、地主それぞれの要望を叶えられず、結果として土地をまとめることができないケースが多くなります。

平松は、当件ではどう地主と交渉してきたのか。

平松がとくに大切にしてきたのが観察眼でした。地主の親族を含めて数百人以上の農家を観察して見えてきたのは日々のルーティンです。

平松

土地所有権の名義人となる地主は、相対的に高齢者である割合が多い。

地主が農家であれば後継者の長男が水田耕作に出かけ、彼らは畑作業に従事することが多い。早朝から農作業に行き、午前一一時三〇分頃に帰宅。昼食後はしばし休憩し、午後一時すぎから午後の農作業を再開する。

地主にとって心地よい時間帯での交渉は避けておくのが望ましい。繁忙期なら、訪問自体を遠慮すべきだ。

交渉に伺うなら、農作業がひと段落する夕方頃に再訪するか、事前に取り付けておくのがよい。また天候に恵まれた日には、畑でゆっくりと本音を聞けることが多くなる。彼らの気分が良くなると頂きものが増えるが、決して断ってはいけない。

観察眼とは、農家自身以上に彼らの行動と思考を把握し、最善な交渉に導くためのものです。地主の信頼を得るには、観察眼を用いて彼らの、ルーティンから共通要素を見つけて、本音を語りやすい環境下で提案するのが良いのです。

平松が観察眼で見つけた、今回の開発地での土地所有形態についても事例を挙げます。

開発予定地では地主の土地所有形態のうち、約四〇パーセントが先祖からの受け継いだ相続財産です。約三〇パーセントが他の市街地の土地を売却後に代替取得したもので、残り二〇パーセントが将来に向けて投資した人です。

地主によって生まれや成り立ちが違うことは、農村育ちの平松にとって承知の上です。本音を語ってもらう上で過去、農業の手作業で苦労したことや戦争の記憶の話題を展開します。

平松

地主たちの本音を知れば知るほど、孤独であることがわかる。なぜなら、昔の苦労話や戦時中の悲惨な体験などは家族に聞いてもらえず、独り語りで終わってしまうからだ。

昔話とはこうだ。

日本では戦後から一九五三年（昭和二八年）まで、食料自給率の促進と農業経営の改善を行うために改正土地改良法が発令された。そのため、日夜問わずに田んぼに出向き、胸まで水に浸かりながら稲刈りをしてきた。

私も、幼少期に父や祖父からも苦労話を聞いていたからわかる。ただ、現代に生まれた子には写真でしか知ることができないだろう。

だから、彼らの苦労話に合いの手を入れて話に勢いをつけると、農業に精を出していた青年時代の記憶が思い出され、目を輝かせながら物語を紡ぐのだ。

私たちと地主は開発において決して敵ではない。協力関係を結ぶには信頼関係があってこそ。一度とは言わず、本音でぶつかり合うことで戦友になるものだ。

明るい農村だけではない、裏面史

アークランドサカモト社での開発期間、新潟での農村部について触れておきます。前章の通りに、農業関連の機械化に伴い、財産を持つ農家は大規模な農地拡大を進めてきました。

その中で、農家の中でとくに農地拡大が進んだ地主と、分家となって浅い小規模な農地を持つ小地主とで分断されていました。その結果として、地主内でも縦社会が生まれ、格差や差別が生じていた地域がありました。

なぜなら、地主は区分が異なる土地を保有し、景気が良いときにさらに土地売買を行って、稼ぐことができます。とくに、新潟駅周辺地域の土地と、マンションやテナントを所有する地主はなおさらで、貧富の差が広がっている状況でした。

平松

地主である農家さんと語り合うと、表面化していない農村の苦労があることがわかった。地主の意識差によって分断されていては、私はどうすることもできないのが実情。

だから、地主と交渉するなら地主自身が一番に思っていることを前提に、本人のために考えて、行動することが求められた。それは地主であったら決して、隣人さえ誉めてはいけないのもそうだ。

　こうした集落ごとの事情をわからない開発担当者は、交渉の場に立たせてもらえない。何気ない会話であっても隣人を褒めたら、同意書の判子をもらえないだろう。

　不動産開発に関わるなら、開発予定区を訪れて地主ごとの事情に耳を傾けておくのが望ましい。


　開発区域内の集落では、他にも開発に積極派と様子見をする地主とで意識差が生じていました。

　そのため、平松は開発に対して様子見をする地主から、開発用途と開発費については同意する素振りがあったものの、その場で同意書をもらえないことがありました。

平松

あるとき、私と不動産開発の若手社員とで説明に伺ったときに、「あんたの考えは理解できるのだが、大地主からまず同意をもらってほしい」と嘆願された。

同席した社員は、なぜこんなことを言うのかと疑問を持っていたようだ。集落のしきたりとして、大地主が同意していないのに、我々が先に同意すると相手の面子が立たなくなるのだ。農村の実情を知らないと、こうしたしきたりさえ警戒することもできない。

他にも、地主宅に訪れたときにこう聞かれたことがある。「私の家は何番目に廻ってきたのか」「三番目だ」「Aさん、Bさん、Cさんの家は行ったかね」と言う。

長年強いられてきた貧富の差によって、自分自身でセーブをかけている節がある。地権者の中では、何番目に訪れたかによって自分の立ち位置を測っているらしい。

これは先ほどの裏返しの態度であるというのが後日分かった。先祖が比較的新しい分家が、本家や昔の大地主よりも先に開発同意したと言われたくない。一種の保険であり、腹の探り合いである。

地主への説明会場でもこうした光景がよく見られます。

平松は、アークランドサカモト社に同席し、住民説明会で開発用途から開発

の進捗具合、ざっくばらんに質疑応答に応えることが求められていました。

説明会では多くの場合、開発に積極的な本家がまず先に口火を切りました。なぜなら、本家は顔も知らないような遠縁の結婚式から法事まで呼び出され交際費が掛かりやすいからです。だから、開発によって、地代家賃がもらえるならと積極的に賛成してくれることが多いのです。

一方で、本家や親族がいる分家や農家に婿に入られたタイプは、本家とは異なって地元の意見に対して、無口になりがちです。

立場によって、開発に対する賛成と反対の有無が違い、説明会でその様相が見えてくるのです。

親族間で賛否が分かれる

農村での地主同士のいざこざは日常茶飯事ですが、地主の血縁関係でも争いが起きるケースがあります。それを知らずに開発予定地で交渉するのは難しいと平松はいいます。

とくに争いになるのが、土地の所有者が名義上親であるが、実態は後継者の息子が土地管理を行なっている場合です。

「親子の仲でも金銭は他人」というように、血縁関係があっても金銭に関することは負の感情が生じやすく、分断が起きやすいのです。

平松

私が地主宅を訪れると、親子双方ともに穏やかな話し方で開発に対して理解を示してくれた。しかし、いくら日が経っても一向に先方から連絡がなく、同意してくれるのかがわからない時期があった。

後ほど知ったのだが、名義人となる親からは口頭で同意を得られていたが、親子間で絆を断つぐらいの口論が起きたらしい。

親子間であっても、第三者が介入しない話し合いは得策ではない。土地所有権の主役ではない者は、どんな感情を抱くかは想像し難いからだ。高齢者の孤独について問題視されていた時期であり、その子もまた孤独であると理解した。

この件は、それだけでは終わらなかった。そんな混沌としていた中で、名義人である親が突然、意識不明で床に伏せてしまった。

その頃、私は行政から開発同意書の数字が求められている時期で、急いで息子のもとに駆けつけた。しかし、あの穏やかに話してくれた人はもういない。息子からは同意しないと拒絶されたのだ。

しかし、急かしてきた行政の担当者は、息子の気持ちにはお構いなし。私は世間を賑わせていた『豊田商事事件』を例に挙げ、状況を説明せざるを得ない。

「事件を起こした彼らのように、寝たきり老人と添い寝をし、実印を握らせて本人の代わりにハンコを押させろというのか」

「同意書に捺印があればいい。あなたの人情噺などはいらない、好きなようにやればいい」と行政に冷たくあしらわれたのだ。

豊田商事事件とは、独り身の高齢者を対象に悪徳商法を用いて、組織的に詐欺行為が行われた事件です。主に、高齢者の人情に訴えて、自宅に押しかけて、インチキな契約を締結させていました。

権利者である親と子の仲違いは、些細なことが原因ではありますが、今回の心因は分からずじまいでした。

しかし、平松は世帯主の心境の変化に気がつくことがありました。それは、土地管理を行っているのに、常に蚊帳の外にいること。世帯主とは名ばかりで自分が主役ではないと感情を歪ませていったのだろうと推測します。

非協力的であった世帯主はその後、平松の苦難状況を知った地元関係者や親族から説得され、同意してくれました。苦労している姿を見ると、周囲の人は動いてくれるのです。

代筆署名と代理捺印は絶対するな

開発案件を進める上で、契約関連での不用意な行為は慎むべきだと平松は考えます。たとえ、同意書であっても法令の規則は帯びるため、不正行為は当然罰せられます。

とある会社に勤める開発担当者がいました。担当する開発案件が地主の同意を得られずに難航していました。

担当者は、責任を感じてしまい、地主の同意書欲しさで偽の印鑑を用意し、勝手に判を押してしまう事件を起こしてしまいました。

担当者はその後、事件に自責の念を感じ、自殺してしまったのです。冒頭で話した通り、不動産開発がグレーな業界と見られるのはこうした事件もひとつの要因といえます。平松は、地主からの要望であっても、不用意に従わないほうがいいと話します。

平松　クライアントの若手社員と地主宅に出向いたとき、「同意するから、お前さんが代わりに書いてくれ。俺は字が汚いから」と平然と言ってきた。地主本人が代筆署名を依頼してきたが、私はそうさせなかった。

地主や若手社員にもすぐに注意を促したが、仮に代筆署名を行なってしまうと、前例の事件のように修羅場が訪れてしまう。地主から「俺は、書いた覚えがない」と言われたら、文書偽造罪で犯罪者となってしまうからだ。

署名や押印に関しては同意であれば、自らの目の前で捺印をしてもらうのが問題を起こさない作法である。

開発予定地に公共事業前倒しの道路拡張買収

スーパーセンタームサシの開発案件において、平松にとって忘れ難い事件がありました。

それは、とある地主が開発に対しての同意書締結以後に、契約そのものを破棄し、意見を覆したことです。当時、平松にとっても思いがけないことで、当時不安で夜も眠れなかったと輾転反側の日々を語ります。

地主によっては、当初開発に対して同意したとしても突如協力しないと表明する人もいます。前段で説明した通り、家族間での争いなどで起きてしまう事象ですが、その場合は土地の契約方法の見直しや代替案を模索する必要が出てきます。

平松
着工目前に、ある地主が新しい農地が欲しいということで、開発に同意しない旨を伝えてきた。

具体的には、所有する三千坪の農地を四千坪にしたいという。私たち、不動産開発会社は土地所有者の同意があってこそ開発を進められるため、彼にも事前に同意を得ていた。止むに止まれない事態が起きたのだろうと推測し、アークランドサカモト社に代替案を提案した。

その案とはまず、本人が希望する代替えと面積を確保するために、代替え地を提供してくれる人を訪ねていくものだ。

税理士や税務署に相談しながら、四名の代替え地提供者と交渉し、一対一、一対一・五、一対二の面積割合で代替えを行っていったのだ。

不動産開発業に関わると、当事者だけでは解決できないアクシデントが生じます。クライアントを含めて最善の案を模索し、提案と交渉をすることで解決に導けるのです。

ただ、「アクシデントは一度起きると、二度三度と立て続けに因果関係がなく起きる」と平松がいうようにこの後も事件が立て続けに起きました。

休む暇なく、埋め立て工事直前に当時弁天線通の道路拡幅の買収話が持ち上がり、現場はさらに大慌てとなります。

平松　行政からの道路買収は、開発地面積の変更から帰属する土地面積まで突然発表されるため、現場はもちろん市民さえ混乱してしまう。

当時は、スーパーセンタームムサシの開発に向けて、地盤沈下と液状化対策として敷地内の埋め立て工事が始まったばかり。もし、道路買収された場合の追加工事と費用の策定にも追われた。

こうしたアクシデントは立て続けに起きるものだから、前もって備えておくのが良いだろう。

今だから言える騙される地主、暗躍する人物

他にも、開発中に大事件が起きました。それは、とある地主たちが共謀し、新潟税務署に対して起こした事件です。

開発規模によって関係者が増えれば増えるほどこうした事件が発生しやすくなります。平松も被害を受けた事件について振り返ります。

地主は、農家でありながら実業家で一目置かれた大地主でした。平松が交渉に伺ったとき、地主は開発協力するしないどちらにも取れる素振りを見せて、当初からのらりくらりと曖昧な返答を繰り返していました。

しかし、開発が進むとみるや「開発に対して同意はしていないから、自身が保有する土地を買ってほしい」と要望を出し始めたのです。

なぜなら、地主と親しくしていたとある人物へ事前にコンタクトを取って、開発業における弱みを知っていたのです。

同意を得ていなければ、開発が進められずに地主の意見が通りやすい。そう聞いた地主は「開発同意などしていない」と繰り返しいうのでした。

平松

アークランドサカモト社は、地主との契約において事業用定期借地契約を締結するという同意書に捺印を交わしていた。ところが、地主はとある人物と共謀して売買契約にしようと画策したのである。

さらに、大地主はアークランドサカモト社のライバル企業に、「この地区で、（アークランドサカモト社が）商業施設の開発を進めている」と秘密裏に伝えた。そうなると、ライバル企業がどう動くのか想像がつくだろう。

ライバル企業は当然、大地主が有する土地を売買してもらおうと交渉してきた。ライバル企業がもし、ムサシの開発区域に土地を所有すれば、自社で同じく出店しようが土地売買しようが、物事を有利に進めることができると考えたのだろう。

地主は加えて、ライバル社から提示された土地売買契約時の金額を天秤にかけて、アークランドサカモト社に高い金額で土地売買するように迫ったのだ。
結果として、アークランドサカモト社はやむを得ず、当初聞いていた金額の倍近くまで釣り上げられてしまった。こうした信用できないことをした地主もいるから、開発担当者は気をつけてほしい。

大地主はその後、アークランドサカモト社との土地売買契約によって高額な売買代金を手にしたものの、架空の経費精算を試みて失敗し、税務署から多額の追徴課税を請求されました。

大事件に巻き込まれた平松は、地主であっても安易に信頼してはならないと考えるようになりました。とくに、集落内で他の地主たちよりも、自分が優れていると勘違いしている人物ほど危険です。

そして、悪徳ブローカーのように、裏社会で暗躍する人物は何処かでお金の匂いを嗅ぎつけるもの。悪知恵を働かせた人物の策略に引っかかって名誉も財産もすべて失うのは本末転倒です。

未来を予測し、数少ない可能性を探り当てる『未来学』

スーパーセンタームサシが完成するまでの開発期間、他の地主たちから続々と知らされるのは心配ごとや不安ごと。地主の悩みごとを解消するために、平松が休まる日はありませんでした。とくに、骨が折れるのが、未来への心配ごとでした。

クライアントと地主とが契約する借地権には、契約期限が設けられています。しかし、いつかは終わりが来るものです。その期限がたとえ当分先であっても、終わりに近づくたびに地主たちは感情的になってしまいます。

平松

未来の心配ごとほど考えたらキリがなく、当てにもならない。

地主から相談を受けたのは、

「再開発するときに道路や公園で私有地が潰されたが従来に戻せないか」

「将来、もう一度事業用賃貸契約にした方がいいのかどうか」

「万が一、倒産しないか心配」――

ほとんどが、シニカルな地主本人と家族の心情からくるもので、目に見えない未来に対しては感情論だけで話してしまう。だから、一向に解決されないのだ。

開発担当者は自身で未来を予想して具現化していく力を持とう。小さな糸口はそこから自ずと見えてくるものだ。

最後まであきらめないと奇跡は起きる

これまでに平松は、アークランドサカモト社の要望や、開発用途に沿って進行できるようと行政や地主と交渉を続けてきました。その年数は約一〇年間、気づけば平松が開発案件を最も知る古株となっていました。そのため、アークランドサカモト社からの要望は、平松が一手に引き受けてきました。本社からは社長、経理部長、開発部長、スポークスマンと錚々たる人物から、開発の進捗はじめ、多くの要望に対して叶え、ときに説得する立場でした。

平松
開発の進捗説明会は、アークランド本社五階で行われてきた。その場は、静かな緊張感が漂っていたと覚えている。社長や経理部長たちは、行政協議によって約七年間待たされ、しかも地主の不法行為で投資金額が余分にかかっていたからだ。

開発部長からは「なぜ、ここまで時間と費用が掛かっているのか」と畳みかけられる。私は、地主一人ひとりの現状と今後の対策、完成時期を示した。

二〇〇二年（平成一四年）にムサシが完成するまでに、スポークスマンから「オープン予定日を確定させ、プレス発表したい」と要望を出された。坂本代表からは「本当に完成しますか」と、静かに通る声で言われたのを覚えている。

平松にとって初めての大型商業施設の開発案件は、完成までに約一〇年間の歳月がかかりました。しかし平松は、スーパーセンタームサシが完成して二〇

年経った今、ようやく達成感を噛みしめることができるようになったといいます。

スーパーセンタームサシがあることで周辺に住む人たちにとって、副次的な効果があったと平松の耳に届きました。

平松

姥ケ山周辺地域では、商業施設の開発が進むにつれて、建設に必要な資材を管理する場所が不要になってきた。ムサシが出来たことで資材の販売を承ってくれるようになった。建設会社も、これまで遠方で資材調達をしていたから助かっていると聞く。

周辺地域に住む人にとっても、自宅の近くにムサシができたことで買い物がしやすくなり、街並みが一層きれいになったという。「平松さんの功績だ」と誉めてくださり、一新潟市民として誇らしい気持ちになった。

地主本人の相続問題や、開発同意以後に意見を覆されたなど、開発における人間模様は数えたらキリがありません。一方で、平松が学び得たことは多数ありました。

平松

私たちは、常に二者択一を迫られている。開発担当者なら、地主や行政、クライアントなど交渉ごとでなおさら求められているだろう。

土地開発によって幸せになりたいのか不幸でいいのか。明るい未来がいいのか暗いのがいいか。お金が入るのがいいかお金はいらないのか……。
自身の選択によって、ときに場面が好転することもあれば、立ち止まることも迫られる。二者択一での選択、そして決定。その後、交渉する上で叶えたいという強い意志を持とう。

そのために平松は、後悔がない選択ができるようにと日頃から心がけていることがあります。

「嘘をつかないこと」
「みんな、公平に接すること」
「困りごとの相談に応じる」

この三つを心に留めることが、正しい選択を行うためのおまじないだと平松は締めくくります。

第三章

南南西での並行案件開発秘話

二〇〇二年以降、変化し続ける新潟市南南西地域

二〇〇二年に完成したスーパーセンタームサシを契機に、新潟駅から南南西に位置を取るエリアは活性の一途を辿りました。平松の元に舞い込む開発案件の多さが、その変化の激しさを物語ります。

平松

二〇〇二年に完成したムサシの開発案件含め当時、面積にして約一〇万八千坪近くの不動産開発に関わっていた。まだ見ぬ全案件の完成図を脳裏に焼きつけながら取り組んでいたから、ひと息をつく暇さえないことはわかるだろう。

とくに、イオンモール新潟南は、新潟市にある大型商業施設の中でも県下最大級のショッピングセンターです。土地開発面積は、スーパーセンタームサシ新潟店と同規模を誇り、新潟県内外から現在、年間約一千万人以上が訪れています。その来場者数は、中国の深圳やトルコのイスタンブールなど世界中の都市の人口にも匹敵するほど。

新潟市のランドマーク、イオンモール新潟南の開発案件も最初から順調ではありませんでした。さらに、他の開発案件も同様に他の事業者によって、一波乱も二波乱もありました。

開発プランの練りこみ不足から巻き起きる大騒動

当時、平松はスーパーセンタームサシ新潟南店の開発と並行して行っていた二千坪ほどの食材卸配送センター用地の斡旋を完了したばかりでした。これから、納入先の希望に沿うように開発して、造成しようと考えていました。

平松商事の事務所には、その行動実績を聞き、同業他社とゼネコンの担当者たちが訪れます。その建設会社とはスーパーゼネコンK建設、他にもD建設工業とT建設の計三社が同席しました。

「私たちは、亀田工業団地がある配送センター用地を含む数五万九千坪に、工業団地を作りたいと考えている。平松さんが手がけられた用地斡旋した場所です。だから、その開発を平松さんにご説明し、納入先としてぜひ、関わってほしい」ときたのです。

配送センター用地とは、中央区で長らく商売を行う企業と平松が今後発展するだろうと話してきた場所。だから、信頼を得る不動産業者と確信され、相談してきたのです。

平松は、場合によっては依頼者の希望に叶うかも知れない。そう考えました。

工業団地の計画を詳しく知りたいと考え、地主代理人として建設会社から地主への説明会に参加しました。

説明会では、建設会社三社ジョイントで工業団地の事業背景や構想、将来の見通し、完成した後の地権者及び地域住民へのサポートについて説明されました。

とくに、工業団地によって地域にどのぐらい還元できるかを伝えられ、地域貢献に大いに役立つだろうといいます。

しかし、地権者にとっては開発規模五万九千坪といえば財産の大半が農地から工業団地に変わるようなもの。一大転機といえます。

そのため、説明会に参加した開発区域内の地主の多くは、所有する土地をすべて売買するのではなく、一部売買を検討したい人、売却したくない地主と分かれました。そして区割りによって生じる、狭小宅地をどうするのかが議題に挙がりました。

代理人を務めた平松目線からは、開発用途と地主の要望を照らし合わせて、リスクを含んでおり、開発計画自体が完璧とはいえませんでした。

そのため、地主側で意見が分かれましたが、構想に少しでも難点があるのはやめた方が良いと平松は告げました。

平松

工業団地の開発は全域買収でなければ失敗する。

なぜなら、造成協力したあとに残りの土地で実施される狭小宅地では、今後の利用を考えると難があり、隣接建物の高さによって圧迫感を感じる。

売りたいときに売れないリスクがあると地主に進言した。

そのため、三社連合体開発説明会を何度も開催しても、開発反対派の意見と意思が強くて計画は頓挫しました。

噂が噂を呼ぶ

土地所有者の意見をまとめられず、工業団地の計画が破綻した数日後、今度は行政のとある担当者が平松のもとを訪れます。内容は破綻したばかりの工業団地開発構想から延長した相談でした。

「環境事業団が、工業団地として計画している、五万九千坪のすべて、土地を買収したい」

環境事業団からの突然の土地買収の話には、新潟市の街の成り立ちが関係していました。

新潟市内には、古くから長く続く板金業、塗装業、様々な工業関連の事務所及び工場が点在していました。しかし、二〇〇〇年代に入った頃には、区域内にも住宅も増えていき、工業と隣り合わせのまま発展してきました。

その中で、印刷屋や板金屋から日常的に発する機械音や製品の臭いで、住民の苦情が年々増えていき、ついには郊外に移転計画が持ち上がります。その環境を良くする計画を事業として担うのが環境事業団でした。

環境事業団から土地買収の提示額は路線価並みの価格でした。開発予定区の新潟市江南区は、住宅や商業施設などを建築することが原則認められていない市街化調整区域であるものの、相場からみても坪単価が高いこと。基礎控除額が高額であり、魅力的でした。

平松は土地買収での金額を聞き、「これなら地主の意見をまとめられそうだ」と考えました。地主たちにも買収したい旨と売買金額を伝えたところ、おおよその予想通り九〇パーセント以上の賛成票を獲得しました。

環境事業団と地主が、土地売買を結ぼうとした折に、行政から驚きの話が飛び込みました。環境事業団を含むすべての公団が解体され、環境事業団そのものも無くなってしまうというのです。

二〇〇一年（平成一三年）当時、小泉純一郎首相が誕生して政権発足当初に行なったのが、記憶に新しい各種公団そのものの解体するもの。小泉首相より、その政策が発表された日から一〇日もしないうちに環境事業団が解体されたのです。

背景をまったく知らない平松にとって晴天の霹靂といえる出来事。

平松は「まさか公団が無くなるなんて予想はできなかった」と長らく驚きを隠せませんでした。地主も公団の解体によって土地買収の話は無くなり、極楽から奈落の底に落とされました。しかし、話はここで終わりません。

公団が解体されてさらに数日後。開発予定地を含めた土地に出店できないかと、とあるクライアントが話を持ち込んできたのです。

地主のまとめ役になりそうな人物から「平松商事しかまとめられない」と言われました。工業団地の開発相談からわずか六ヶ月間で、三件の開発依頼があったのです。

平松

私と地主にとってはこの六ヶ月で様々な会社や団体、担当者が開発相談をもらった。まさにジェットコースターに乗っているような浮き沈みが激しい期間だった。最終的には、思いもかけない大型商業施設の開発相談になった。一方で、なぜこの土地がこれほどの案件を惹きつけたのかを考えていた。

私が導き出したのがこうだ。

不動産業とは、土地勘と必要な場所に産業を生み出すこと。そして、産業を創出できる土地にはそれに適した条件の話が舞い降りてくるのではないかという仮説。

工業団地開発から始まって南南西に位置する場所での開発相談まで、この土地が六ヶ月で案件を呼び寄せたのだから、産業を創出するだけの価値がある場所であるのは間違いないだろう。

その頃、同地区で開発中のムサシが一〇年間をかけて完成間近で、多くの人たちがこの場所に立ち寄っていた。この地域の賑わいを目の当たりにすると、街づくりにおいて場所は何よりも重要だといえる。

商業施設ができるから街が栄えるのではなく、夕陽に向かう南南西の帰巣本能に従う帰路、奥行きが深い場所が生活産業を呼び込み、街を豊かにする、私なりの方程式はこうだった。

『第九の怒涛』の如く

港町、新潟において前ぶれもなく起きる事件を名画『第九の怒涛』になぞらえて表現することがあります。

第九の怒涛は、嵐の海のジンクスを語るもので、第一の波から第二、第三と波が次第に大きくなり、第九の波で最高潮に達して、また第一の波へ戻る様をいいます。第九の怒涛を平松は振り返ります。

それは、とある地主に起きた相続問題に関する事件。地主には元気な高齢者が多いが、突然父を亡くしたことで相続税が発生しました。多額な負債を抱えてしまい、土地開発が一時ストップしたことがありました。

平松

当時、開発を待ち侘びていた地主がいた。彼には当時、元気な父親がいたのだが、突然の悲報に見舞われた。遺産分割等で兄弟間の争いがなかったことは不幸中の幸いだった。

故人の相続で新しく土地所有者となり、その相続税がざっと計算したところ、当時で約二億円となった。彼には現金で二億円を払えるわけがない。納税額はもちろん、その相続税に対する資金調達で頭を抱え、一種のノイローゼとなってしまったのだ。

私の携帯へ毎朝午前四時前後に、彼は電話してくる。

「平松さん眠られない、眠られない」

私は大丈夫だから心配するなと励ました。ただ彼は「税理事務所に勤務していた義理の弟に相談したが、相続対策は出来ない」と断られたという。
そこで、私は税務署に提案を行った。

本丸に飛び込め。
数ある財産の中から、物納してもよさそうな不動産を数ヶ所ピックアップしてもらい、私が新潟税務署に相談とお願いに行くものだ。税理事務所の了承をもらい、税務署に通っているうちに、「税理士さんですか？」と担当者から間違われるほど相談を重ねた。

平松は、事件勃発を予防し、衰弱する地主を助けるためにも、可能性を探っていたのです。この事件からもまた得られた教訓は多くありました。

平松　不動産開発業に携わる者なら、地主や地域住民にとにかく寄り添いなさい。その中で、彼らの困りごとが見えてきて、相談してもらえるのだと。開発には、こうした小さな困りごとから大事に発展するのだから、問題に向き合い、解決することが重要なのだ。

開発を巡る、激論バトル

住民の意見によって行政の態度は変わります。粘り強さがものをいう行政との交渉ですが、開発用途ではとくに向かい風を感じることが多いと平松は感じました。

平松

行政とは粘り強く繰り返し、繰り返し交渉が必要である。とくに、行政担当者の感情を苛立たせないようにするためにも知恵は使う。

行政側が恐れているのは地域住民の意見。開発において開発区周辺の住民はもちろんだ。さらにそこを地盤とし、清き一票をもらいたい政治関係者だ。

だから、地域内の意見を取り入れようとして、開発が進まない期間も生まれてくる。早通柳田地域の一部では、農業振興を図るために水田保全を名目に、国からの補助金を活用して用水路や排水路整備が進められていた。

私は、開発用地における地域の理解を求めるために、市民対話集会に出席したことがある。行政の重役ともお会いし、開発要請を行ったが「私はああいうのは嫌いだ」と感情論で終えてしまったときも。だから、行政との交渉は難しいのだ。

遺跡調査と行政との戦い

不動産開発において、大規模埋め立て工事はつきものです。具体的には、遺跡調査を経て、造成工事、埋め立て工事と数ヶ月から数年間の期間を要するときもあります。平松が担当した不動産開発において、埋め立て工事前に問題が生じたときがありました。

平松
大規模埋め立て工事には、事前に遺跡調査が課されている。スーパーセンタームサシでも遺跡調査を行ったが全く出なかった。
しかし、とある大型開発でも同じく約三・三㎥×六三ヶ所の遺跡調査をしたところ、最後になる採掘で埋蔵文化財に該当しそうな茶碗の破片が見つかり、追加調査が行われることになった。

茶碗の破片が発掘されたことで、約六月ヶ近く造成工事が中止。その間に、大型商業施設に対して制限が掛かる法律が施行されたのです。
さらに、何百人も発掘調査のパート募集をし、行政からの指示に従う調査方法では、時間と莫大な金額の調査費がかかりました。

遺跡調査によって発見されたのが、約一〇〇〇年前の平安時代における下早通柳田地域での集落や暮らしの痕跡。身分の高い者たちの修書木簡や壷、皿、漁具が発掘されました。

遺跡調査に関わった教育委員会の資料から参照すると、約三〇〇年前までは海底だったと記述されています。

開発においてこうした文化財と遭遇することは滅多にありません。新潟が歩んできた長き歴史が呼び起こしたのでしょう。一方で、行政の指示によって埋め立て工事の大幅な遅れや費用がかかる問題と文化財の発掘、現場責任者ならどちらが重要かは明白です。

行政不服審査会に申し立てる意図

平松は、大規模商業施設の出店を巡り、お互いの誤解を解くために、行政の重役と直接話し合ったことがありました。

当時、担当課長を通じて申し入れを行い、担当課長から承諾の返事があり、平松と地権者会の代表と共に新潟市役所へと訪問しました。要件を伝えると部屋に通され、待っていたのが行政担当者の三名でした。

平松

彼らとの時間は異様といえるものであった。

「なんだ、四人も来たのか」

「新潟市民が四人で来て、何が問題なのですか」

一言一言の間には、数十分を要するほどの息の詰まる時間が過ぎていた。

しかも、視線は合わさずに、大半は斜め前方の天井ばかり見ている人だった。私たちが納得する説明をする訳でもなく、なんとも歯切れが悪い回答が続いたのを覚えている。

「古町に持ってきてくれないか」

「開発規模に見合う土地を用意してくれたら考える」

「場所がないか。そうしたら、今のところをみんな、アミューズメントにしてくれないかね」

「それは、ゲームセンターという意味ですか」

「そうだ」

「新潟は独裁国家ですか。法治国家ではないですね」

「君たちに言われる筋合いはない。君たちは帰る気がないのか」

「正当なお返事をもらうまで帰れません」

四時間以上も押し問答が続き、平行線のままだった。

会談を終えて平松は、行政側の理不尽な対応に、「行政不服審査会に申し立てる」と伝えました。そうすると、会談に出席した行政担当者がすぐに動き出しました。

平松は、この行政との息の詰まるような会談がなければ、頓挫していただろうと振り返ります。なぜなら、地方において大型商業施設の出店を許さない世論が後押しとなって『まちづくり三法(二〇〇六年)』の改正が迫っていたからです。

改正に伴い、大規模商業施設の出店は商業と近隣商業、準工業の三種の地域のみに限定され、市街化調整区域内での出店ができなくなりました。だから、会談がなければ開発は不可能だったのです。

究極の劇場型エンターテインメント

大型商業施設の全貌が見え始めると、地主たちの反応は変わるものです。

とくに、交渉中は難攻不落と思えた地主も、完成してみれば下早通柳田地域に巨大な施設があることが誇りになっていました。

平松

とある日、地主からニコニコ顔で「貴方は神様のようだね」と言われたことがある。契約で反対していたのに、突然の呼びかけでびっくりしたものだ。

私は嬉しい気持ちを抑えながら「どうしてですか」と尋ねたら、暮らしが一変したというのだ。

「昔は、唯一の楽しみといえば、家に帰ってきたときにラジオで聞く、歌や漫才や浪曲。あとは、台風を気にしながら稲刈り後に遠出して観にいった映画ぐらいだ」と伝えられた。

田園風景が続く下早通柳田地域では、地主である高齢者にとって日常の楽しみが乏しかったのだ。

完成するまでは、私が同意書をもらうために、身振り手振りで表現したものが今、目の前にある。私にとっても、協力してもらった地主にとっても、感慨深いことなのだ。

第四章

地方都市の未来を拓く、まちづくり

新潟市とまちづくり

二〇二三年（令和五年）以降、平松はスーパーセンタームサシ新潟店や他のクライアントと地主たちとの間に入って交渉し、さらなる地域発展のために取り組んできました。

これらの大型商業施設を新潟市に誘致できたのは新潟駅から三キロ圏内、かつ南南西の進路を取って、開発を進めたからです。そして、鳥屋野潟周辺地域が持つ土地柄が、場所産業として優位性が働いたのです。

平松　鳥屋野潟周辺地域を中心とする開発案件がとめどなく続いたのは、その土地が本来持つ風土や土地の成り立ちが大きい。そのため、私はその力を享受してきたに過ぎない。

では、新潟市全体を見渡してみるとどうであろうか。私視点では新潟のポテンシャルが活かしきれていないと感じることが多い。

平松がそう考えるきっかけとなったのが、二〇三〇年に向けて新潟市が目指す街の在り方や都市像の実現に向けたまちづくりを示す計画『にいがた未来ビジョン』の構想との出会いでした。

にいがた未来ビジョンとは、二つのテーマを掲げたまちづくりの未来図。

『地域・田園・自然の力を活かし、健康で安心に暮らせる街』

『日本海開港都市の拠点性を活かし、創造的に発展を続ける街』

その計画が、二〇二三年から実施計画へと進められる、新潟市の行く末を担う初年度といえます。

平松
大型商業施設の開発相談をきっかけに、鳥屋野潟周辺地域の街づくりで貢献してきた私からすると、にいがた未来ビジョンの実効性には疑問点が挙がるものばかりだ。

計画素案に対して、地域住民からパブリックコメントとして意見を募って、総合計画策定に盛り込むまでは良い。しかし、そこから本番であるのに、行政の実行力が些か乏しいように思える。

では、具体例を挙げてみる。

一九七一年（昭和四六年）に発表した都市計画『水と緑、活気ある市民の街』に向けた都市計画の施策が、これまでに実行されたのだろうか。

にいがた未来ビジョンでも、『地域・田園・自然の力を活かし、健康で安心に暮らせるまちづくり』を掲げているが、昭和四六年に発表した都市計画とどう違うのか。

耳ざわりがいい計画案が集まるのはわかるが、計画とはたとえ時間がかかっても実行し、必ず完成させないと意味がない。それが、新潟の街に関わることならなおさらではないか。

主たる不動産開発の責務を果たしてきた平松にとって、行動が伴っていない縦組織の体制に対して思うことがあるからでしょう。

平松が子供の時分から、「いずれ自分の生まれた場所を古町以上の街にしてみたい」と未来図を描いて早四〇年。その物語は平松と関わる一人、また一人へと伝播し、新しい開発の物語と繋がってきました。

その結果、鳥屋野潟周辺地域には、大型商業施設や病院、スタジアムが立ち

並ぶエリアとなりました。新潟市にとって戦略上、重要なポジションを位置付ける場所まで成長したのです。

平松

四全総では、新潟県が利便性もあいまって物が集まってくる重要な地域交流拠点だと定められた。そこから、新幹線や新潟空港、新潟港は現在も健在であり、新潟バイパス建設や拡張、空港での国際線の拡張を考えると『新潟は人と物、情報が集まってくる地方都市』を狙えるところまで来ているといえよう。

次なる課題は、新潟に訪れた人が定住しやすく、働ける場所の創出である。そのため、場所産業の観点から鳥屋野潟公園を始めとする都市公園を注目すべきだ。

鳥屋野潟（新潟市中央区清五郎）1965 年（昭和 40 年頃）
撮影・小林昭栄氏

大観覧車（新潟市中央区鐘木）1990 年（平成 2 年）

鳥屋野潟公園とは、一九八六年（昭和六一年）にオープンした県内初の県立都市公園です。新潟県下では桜の名所として知られ、街中に残っている潟としては日本国内でも珍しい、都市と自然が調和する場所です。

田中角栄が総理大臣に就任した際に、都市公園を生かす機運がありました。一九七一年に発表した都市計画では、鳥屋野潟南西部を中心的な開発地域として、人間本位で新しい体系づくりが望ましいとされました。そのために、都市公園に堆積するヘドロを取り除き、水質の改善を目指しました。

公園周辺にはサイクリングロードや水族館の建設など計画されましたが、頓挫したままです。ポテンシャルを持ちながらも、現在まで活かしきれずにいるのが現状です。

その鳥屋野潟公園に対して、平松はどう付加価値を付けていこうかと現在も考えています。

平松　人間が本来持つ本能に立ち戻るのはどうだろう。元来、私たちは海辺や里山の農村部で暮らしてきた。だから、その場所に近い水と緑、山が見える都市公園は自然と本能に立ち戻る場所であり、安心できるものだ。

鳥屋野潟公園は約四四万坪の広大な敷地がある。私が青年の頃、湖沿いは県内有数のデートスポットとして賑わい、多くの人が親しみを抱いていた。鳥は鳴き、桜が咲き、木々が芽吹く公園で市民が過ごしてきた。

昨今、昼夜問わず働くハードなビジネスマンにとっても心を安らぐ場所になるのは間違いない。都市と自然とが調和する場所は、心身的な作用を考えても大きい。この環境を生かした街づくりをすべきだ。

私が、場所産業に適した開発を行っていくのはこれまでで語ったところ。新潟駅から三キロ圏内、新潟空港にも近い。海外から訪れやすい鳥屋野潟公園は、インバウンド需要にも応えられる都市公園になれるだろう。


平松が、それほど場所産業の重要性を説くのは、新潟県の課題となっている人口減少があるからです。

にいがた未来ビジョンでも、この人口減少についてテーマとして掲げられていますが、総務省が公表した二〇二一年（令和三年）の人口移動報告によると、新潟県から転出する人が転入を上回る転出超過は四七七四人。人口は年間二万千六百人減少傾向にあります。

平松　農業振興を行っても、その農産物を食べる若者が定住し、働く場所がなければ農業が成り立たないのはご存じの通り。加えて、余暇を過ごせる場所も同時に考えないといけない。

余暇でとくに、外遊びがどれほど重要なのかが行政に伝わっていないのだろう。鳥屋野潟に広がる水、これまではきれいで私自身も幼少期に泳いだ記憶がある。しかし、今は到底泳ぐこともできないほどだ。

水の都新潟であるならば、自然のままで遊べるように環境整備も行わないといけない。余暇で過ごせるからこそ、鳥屋野潟公園で未開発であるエリア（鳥屋野潟公園では、総合レクリエーションゾーンや住居ゾーン、国際文化・教育ゾーンと呼ばれる）が活きてくるだろう。

スポーツや海外からの観光、人びとの暮らしや余暇をも満たす都市公園を活かせる新潟市であってほしい。


世界を見渡せば、都市公園を活かした活用事例は多数あります。

アメリカ合衆国のモンタナ州にある世界自然遺産のグレーシャー国立公園では、都市公園内に働く場所を設けることで、周辺の地域住民が日中集まる場として捉え、街が栄えました。

イオンモールを完成させたことで、数千人規模の働く場を創出した平松にとって、鳥屋野潟公園南西部一帯を開発することでイオンモール以上の働く場が生み出せると考えます。

平松

新潟市は高齢社会になりつつある。社会に合わせた交通基軸として、新世代型路面電車『ＬＲＴ』が望ましい。ＬＲＴとは、電気モーターによって駆動する新世代の交通システム。環境に優しく、高齢者やベビーカー、車いすもスムーズに乗降できるものだ。

試験運行は、新潟駅南から弁天線を経由し新潟市民病院を通るのが良いだろう。このルートでの開発であれば道路買収をしなくてもいいし、土地所有者も限られる。開発条件としては良いはずだ。

モノレールなら将来、無人電車としても運用可能だ。何よりも夕日を眺めながら帰るという、人間本来の暮らしに近い運用が可能ではないか。

場所の創生を目指す

本書で何度も伝えてきた場所産業とは、優位性がある場所を活用するだけではなく、場所そのものを創生することも含まれます。

こうした場所を生み出すためには、ゼロから構想を描き、何年もかけて関係者に信頼を得ていく必要があります。夢物語を思えるほどの構想を形にして実現する平松にとって鳥屋野潟公園を開発するのも、にいがた未来ビジョンを形にするのも、そう変わらないと考えます。

さらに、東日本大震災から得られた教訓を踏まえ、二〇一三年(平成二五年)から『国土強靭化基本法』が推進されています。国土強靭化基本法とは、迅速な復旧と復興を目指して、総合的かつ計画的に実施することが重要とされました。防災や減災がそれに該当します。

平松

国土強靭化基本法に従い、自然との共生や環境との調和に配慮するなら、地域の特性に踏まえて鳥屋野潟公園を開発するのが望ましい。

また、将来的に生じるとされる『南海トラフ地震』に備えて、土地の合理的な利用を促進することも挙げられている。そのために、新たな技術革新に基づく最先端の技術や装置を活用することが不可欠であろう。

不動産開発においても、基本軸は国土強靭化基本法に沿って、南海トラフ地震に備えた街づくりを前提条件に挙げられるのです。

地方都市の未来を描く

新潟駅から南南西に位置を取る、田園風景が広がる鳥屋野潟周辺地域が賑わうと、誰が考えたのでしょうか。見方を変えたならこのエリアも創生の一例となっているといえます。

平松

歴史を顧みても、今から四〇〇年から五〇〇年前の新潟市もある意味で場所創生をしてきた地域ともいえる。

新潟市の上大川前通りや本町は鍛冶屋の町として、瀬戸物屋や下駄屋、水揚げ職人の町蔵、酒屋、材木が都市計画をもとに成り立っていたとされている。

同時代を見渡してみると、世界では大航海時代が始まり、交易と航海によってもたらされたグローバル化が進んでいた頃。こうした情勢を踏まえて新潟はまちづくり計画を進めていたのだろう。そして、何もないところから計画と実践を繰り返してきたからこそ今の新潟市があるのだ。

このように新潟を始点にみていくと、先駆けて始められたことが多いのがわかる。愚者は経験から学び、賢者は歴史に学ぶというように、新潟の歴史からまちづくり、都市開発には可能性が秘めている。

新潟市に限らず地方都市の街づくりには、財政が豊かでなければ何も始まらない、そう聞いた人も少なくはありません。しかし、新潟市がトヨタ自動車や日産自動車の工場誘致に失敗したと平松は聞き、考えます。

行政と市民とが場所創生について改めて考える必要があるのではないか。そ

して、二〇三〇年に向けて政治と行政、民間（政官民）の連携と、場所の創生に対する熱意と気構えだといいます。

平松
新潟市には最先端の医療や化学、サイエンス分野を研究できる施設があったなら良いだろうと希望を持ち、調査している。
茨城県のつくばみらい市のように、世界中の科学者が一堂に会する学術会議や展示会を開催し、都市公園で余暇を過ごす。こうした場所の環境を作れたらならさらに人が集まるだろう。
このエリアに六次産業化の拠点が集結するならば、周辺地域の自然環境の保全と研究者が働ける新潟市の求心力はもっと期待できる。そのための提案は地主には伝え、新潟市の有識者と夢を描いている。あとは、『ヒト・モノ・カネ・時間』をどう開発していくかだ。

南南西の位置する弁天線や鳥屋野潟南西部エリアは、自然豊かな農村地帯で自然一帯型の暮らしが根付いてきました。こうした文化と第一次産業の農業、第六次産業を生かす新たな展開もありえます。

夕日と水と緑、そして新潟市の遠くに連なる山々。四季が色濃い新潟市において平松が描いた構想を検証し、行動に移す。実を結ぶかは南南西にかかっています。

MH

あとがき　バタフライ・エフェクト

　四半世紀近く不動産開発業界に関わる中で、地方都市とまちづくりにはその現場を担う不動産開発者の存在が大きい。その中で私に限らずに、新潟に貢献したいという者であればあるほど、開発前に描いた物語が一人歩きをする。その先には、開発に協力してくれた多くの人たちにとって、街づくりの未来像を乗せて力強く羽ばたくのだ。

「我が子が、実家近くで働くことができた」と笑みを浮かべていた母親。

「スーパーセンタームサシで知人の農家が作った野菜が売られていた」と農家の喜びの声。

　未来像を共に描いた協力者からも、新潟市の街づくりでの変化に対する喜びの声をもらってきた。水面に投じられた小石の波紋のように。

　では、本書を手に取ってくださる方にとって、南南西と聞いて思い浮かべる地域はどこだろう。地元を活性したい一心で取り組んできた人にとって、その地域創成施策の見立てが本当に正しいのかを本書で振り返ってほしい。

私たちは、クライアントの要望に応え南南西に位置する場所が人や施設を呼び込み、産業を作るものだと心に刻み、実行してきた。だから、大きな舞台を完成することができたと肝に銘じている。

最後に刊行にあたって、にいがた経済新聞には二〇二一年（令和三年）から相談して、ようやく書籍化にすることができた。それは、にいがた経済新聞で行うことが新潟にとって、バタフライ・エフェクトであり、方向性の共有から感銘し一緒に取り組むことを決めたのだ。その観察はその通りとなってホッとしている。

本書を通して今後の展開で挙げられるスポーツビジネスやゲームビジネス、観光ビジネス、医療ビジネス、サイエンス産業。第六次産業をターゲットにした不動産開発や私自身に興味を持ってくださったなら、平松商事を訪ねてみてください。

地域の困りごとを解決するのが私たちの仕事だから、皆様の困りごとに寄り添い続けていく場所だから。

開発中に出会った新潟市の行政のご担当者や各種団体の役職者、開発地、隣接町内の多くの方々に当時の状況からディベートさせてもらいました。

私は粗にして野だが卑ではありません。失礼が多々あったと思います。そう感じになられた皆様、お許しくださいませ。

また、亀田郷土地改良区の関係部署の皆様、大変ありがとうございました。

次に当時、お世話になりました方々をご紹介させてもらいます。

【スーパーセンタームサシ新潟南店】
（開発コンサルタント）
　東部計画株式会社
株式会社新潟地域開発研究所
株式会社アークビルド
株式会社総合都市開発・株式会社中央グループ

【イオンモール新潟南】
【亀田流通工業団地】
（開発コンサルタント）
　株式会社都計

関係各社様のおかげで、小生は多くの方々よりご指導と感動を頂き、成長させていただきました。心から感謝申し上げます。

冒頭で申し上げた冒険で得た財宝は、私にとっては関係する多くの皆様の笑顔なのです。

本当にありがとうございました。

平松　勝　拝

【参考資料】

日本列島改造論　一九七二年（昭和四七年）初版　二〇二三年（令和五年）「復刻版」　田中角栄　日刊工業新聞社

新潟市立丸潟小学校校舎写真　一九五五年（昭和三十年）頃

新潟地震写真　一九六四年（昭和三九年）六月

写真でつづる新潟の今昔　一九七九年（昭和五四年六月）発行　：新潟市写真館組合

市報にいがた　一九八一年（昭和五六年）二月十一日号　都市問題懇談会

新潟日報朝刊　二〇一〇年（平成二二年）三月一四日　相次ぐ提言生かせず　都銀支店長談

新潟日報朝刊　一九七八年（昭和五三年）十月十日　県庁移転構想

新潟日報朝刊　一九九二年（平成四年）四月十一日　農水省アグロポリス構想

新潟日報朝刊　一九九二年（平成四年）十一月四日　南に伸びる環日本海

佐野藤三郎さんを偲ぶ　一九九六年（平成八年）十月二五日　記念誌編纂委員会

佐野藤三郎亀田郷幕府の奮闘記　二〇一四年（平成二六年）七月二二日　亀田郷土地改良区

第四次全国総合開発計画　一九八七年（昭和六二年）六月三十日　国土交通省

鳥屋野潟写真　一九六五年（昭和四十年）代　小林昭栄氏

新潟日報朝刊　一九九二年（平成四年）十一月二十六日　新潟を環日本海物流拠点にする課題

新潟日報朝刊　一九九三年（平成五年）八月一五日　空港と新幹線直結

新潟日報朝刊　一九九四年（平成六年）二月一五日　鳥屋野潟整備構想動き出す
新潟日報朝刊　一九九三年（平成五年）一二月二二日　県庁移転にも関与
新潟日報朝刊　一九九二年（平成四年）七月一一日　拠点都市断然トップ
新潟日報朝刊　一九九二年（平成四年）七月一八日　拠点都市整備法新潟地域指定見送り
新潟日報朝刊　一九九二年（平成四年）七月一六日　日本文化デザイン会議誘致へ
新潟日報朝刊　一九九二年（平成四年）四月二五日　第二国土軸は北だ　新潟など8道県
新潟日報朝刊　一九九二年（平成四年）一一月一日　南に伸びる環日本海・地方主導で新国土軸を
新潟日報朝刊　一九九二年（平成四年）四月三日　大新潟市中核は南部だ
新潟日報夕刊　一九八八年（昭和六三年）七月三〇日　角さんの青写真　新潟大改造百万都市に
新潟日報夕刊　一九八八年（昭和六三年）七月二七日　新潟街づくり　幻の構想　図4・潟横断橋
日本経済新聞　二〇一二年（平成二四年）一月五日　生産拠点から市場に　新潟から三七三社
日本経済新聞　二〇〇七年（平成一九年）一一月十日　りゅーとリンクのバス路線
国土強靱化基本法　二〇一三年（平成二五年）一二月一一日法律第95号　内閣官房
新潟日報朝刊　二〇〇八年（平成二〇年）十月二九日　LRT新たな都市降雨通提案
新潟日報朝刊　一九八九年（平成一年）八月一日　鳥屋野潟南部開発・実現可能なものから進める

平松　勝
（HIRAMATSU　MASARU）

新潟県生まれ。1980年、個人不動産業で創業。1982年、株式会社平松商事を設立。医療法人用地、大型商業施設や大型工業団地開発を中心に手掛ける。2015年『国土交通大臣賞』、2018年『黄綬褒章』を受賞。他に、『公益社団法人新潟県宅地建物取引業協会会長』『新潟県不動産政治連盟会長』『にいがた住まいの基本計画推進有識者会議委員』『新潟市障がいのある人もない人も共に生きるまちづくり条例推進会議委員』『新潟県暴力追放運動推進センター理事』など歴任。

編集　有限会社にいがた経済新聞社

ニュースサイト「にいがた経済新聞」
https://www.niikei.jp

にいがた経済新聞®

南南西に進路を取れ

新潟市を活かす、場所産業と街づくり

Take a route by south-south・west

2023年　8月　1日　　　初版発行

著者　　　平松　勝

編集　　　有限会社にいがた経済新聞社

発行者　　千葉慎也

発行所　　合同会社 AmazingAdventure

（東京本社）東京都中央区日本橋 3-2-14

新槇町ビル別館第一2階

（発行所）三重県四日市市あかつき台 1-2-108

電話　050-3575-2199

E-mail info@amazing-adventure.net

発売元　　星雲社（共同出版社・流通責任出版社）

〒112-0005 東京都文京区水道 1-3-30

電話　03-3868-3275

印刷・製本　シナノ書籍印刷

ISBN978-4-434-32516-8　C0095